S0-BLE-119

С уважением Ибрагимов

15-11-97г

PAINTING OF
1930s–1920s

ЖИВОПИСЬ 20-30^{х} ГОДОВ

Санкт-Петербург
„Художник
РСФСР“
1991

Автор вступительной статьи кандидат искусствоведения
В.С. Манин

Составитель альбома и автор научного аппарата
А.М. Муратов

Научный редактор кандидат искусствоведения доцент
А.И. Рощин

Ж $\frac{4903020000-031}{М 173 (03) -91}$ 31-91
ISBN 5-7370-0127-X

Октябрь 1917 года открыл новую эпоху не только в социальной жизни, но и в жизни искусства. В связи с этим возникают вопросы: какие позитивные изменения внесло революционное правительство и сама революционная акция в бытие искусства и какие непредвиденные следствия революция породила? Любая революция что-то разрушает, а затем начинается создание нового. Происходит не простое развитие, а решительное „переоборудование" основ прежних социальных, политических, идеологических и иного рода структур, в том числе и искусства.
Революция выдвинула по крайней мере две проблемы. Первая проблема — классовость искусства. Попытка тесно увязать его с классовой борьбой приводила к искажению его многофункциональной природы. Особенно остро упрощенное понимание классовости искусства проявилось в деятельности небезызвестного Пролеткульта. Стихия борьбы привела к разрушению памятников культуры, вызванному не только военными действиями в период гражданской войны и иностранной интервенции, но и политикой, направленной на сокрушение буржуазной культуры. Так, были снесены или уничтожены многие скульптурные памятники, произведения древнего зодчества, связанные с религиозным культом.
Противостояние вульгарно-социологическому отношению к проблемам искусства было выражено в известном письме ЦК ВКП (б) о пролеткультах и далее в выступлении В. И. Ленина на III съезде РКСМ. Нарком просвещения А. В. Луначарский твердо заявил: „Что касается правительства, то оно по-прежнему будет стараться по мере сил сохранять лучшее в старом искусстве, ибо усвоение его необходимо для дальнейших шагов искусства обновленного"[1].
Вульгаризация классового подхода проявилась и в отношении к художественной интеллигенции, всячески отстраняемой борющимися силами от участия в пролетарском искусстве.
Борьба шла с переменным успехом на всем протяжении 1920-х годов, даже несмотря на предупреждения В. И. Ленина: от капитализма „нужно взять всю науку, технику, все знания, искусство. Без этого мы жизнь коммунистического общества построить не сможем"[2].
Вторая проблема — это проблема классовой политики в искусстве. В решение ее были вовлечены все силы: „буржуазные" и „пролетарские", разрушительные и созидательные, советские и несоветские, „левые" и „правые", культурные и невежественные, профессиональные и дилетантские. Наркомпрос в лице Луначарского придерживался политики равновесия сил, участия в строительстве общества всех его культурных слоев, поощрения тех, кто пытался сотрудничать с новой властью. По сути дела велась борьба за развитие искусства, за прогресс, против застойных явлений в обществе и искусстве: „Правительство никогда не воспрепятствует развиваться новому, хотя бы и сомнительному, чтобы не сделать в этом отношении ошибки и не убить что-нибудь достойное жизни, но еще молодое и неокрепшее"[3].
Провозглашенные государством принципы социального развития в значительной мере определяли поэтапное движение искусства. Происходило своего рода наслоение сил, из сложения которых образовывался вектор реального состояния искусства. С одной стороны, это сила саморазвития искусства, где сказывались закономерности движения форм, заключенных в природе художественного творчества; с другой стороны — влияние социальных сил, общественных институтов, заинтересованных в том, а не ином движении искусства, в определенных его формах. С третьей — диктат государственной политики, которая, опираясь на социальные силы или не опираясь на них, оказывала безусловное воздействие на структуру искусства, на его суть, на его эволюционные и революционные потенции. С конца 1920-х годов политика явно стала искажать нормальный процесс развития искусства, оказывать на него определенное давление посредством запретительства или осуждения тех или иных „непролетарских" проявлений.
Первые годы революции и гражданской войны только поставили вопрос, каким быть искусству, но реально его не решили. Теперь созрела новая ситуация. Более того, налицо был плюрализм художественных сил, который государство пока не пыталось преодолеть, хотя явно обозначилась поддержка искусства, используемого в целях пропаганды.
Эта пропагандистская функция искусства постепенно утвердилась, другие же функции столь же постепенно ослаблялись. На протяжении 1920-х годов в обществе шла полемика по поводу того, чем должно заниматься искусство. Споры соответствовали времени формирования административно-бюрократической системы государства и закончились вместе с оформлением этой системы. Тем не менее революция продолжила то разноречие в искусстве, которое сложилось в дореволюционное время. Однако были заметно переставлены акценты.
Приоритет получили авангардные течения, которые в период саботажа деятелями искусства Советской власти первыми пошли с нею на сотрудничество. Но не только политическое единодушие с революционной властью предоставило авангарду руководящее положение в системе искусства. Собственно, системы художественной жизни в первые послереволюционные годы не было. Образовался некий параллелограмм сил, включающий деятельность партии, Наркомпроса, Союза деятелей искусства, стоявшего в оппозиции к государству, профсоюзов (РАБИС — профсоюз работников искусства) и массы общественных организаций, в том числе и художественных обществ, пытавшихся найти свое место в революционной действительности.

Еще в 1910-е годы в русском искусстве произошла „художественная революция“. Традиционному изобразительному искусству было противопоставлено новое художественное мышление. Прежние формы казались исчерпанными, на смену изобразительности пришли неизобразительные принципы построения художественного образа. Появился экспрессивный абстракционизм В. Кандинского, супрематизм К. Малевича и разного рода модификации беспредметного творчества в произведениях Л. Поповой, А. Экстер, О. Розановой, И. Клюна, Н. Удальцовой, К. Медунецкого и других. „Черный квадрат“ Малевича ознаменовал финал изобразительности в традиционном понимании искусства. Из кажущегося тупика искусства нашлось несколько выходов, в которые устремилось его дальнейшее развитие.

Прежде всего сохранилось и продолжало функционировать традиционное искусство, воплощенное в творчестве „Союза русских художников“, Товарищества передвижных художественных выставок, Московского Товарищества художников и других объединений. Перейдя рубеж 1917 года, некоторые общества прекратили свою деятельность в течение 1922—1924 годов, преобразовавшись и перестроив ряды согласно новым социальным потребностям.

Традиционализм в предшествовавшие революции годы, казалось бы, исчерпал себя, но в послереволюционных условиях он получил новый содержательный импульс, благодаря чему в форме вновь создаваемых художественных объединений, отвечающих на идеологические запросы государства, продолжал функционировать. Это были Объединение художников-реалистов (ОХР), Ассоциация художников революционной России (АХРР), Общество имени А. И. Куинджи, Община художников и другие.

Более действенным оказался блок художественных объединений, творчество которых с 1910-х годов развивалось под знаком „остранения“, то есть обострения истершихся было изобразительных форм. В этот блок входили многие художники постсезаннистского направления, работавшие в духе примитивизма, кубизма, футуризма и не отказавшиеся от изобразительности, а расширившие ее понимание. Русские экспрессионисты, неопримитивисты, сезаннисты, кубисты разделили власть по руководству художественной жизнью с авангардистами в Наркомпросе и в других общественных, учебных и научных организациях.

Идеологизация искусства, усиление его пропагандистского значения за счет целостного понимания специфических функций искусства нагнетали накал страстей. В условиях малограмотности населения России, проснувшегося к общественной жизни и только начинавшего приобщаться к богатствам культуры, в том числе и современной, идеи революционной непримиримости к инакомыслию приводили к жарким схваткам в замкнутой среде литераторов и художников. В этих нелегких условиях партия и государственная власть сочли необходимым заявить о своей художественной политике.

Резолюция ЦК РКП(б) от 18 июня 1925 года „О политике партии в области художественной литературы“ поддержала возможность сосуществования различных точек зрения на художественный процесс: „Партия должна высказаться за свободное соревнование различных группировок и течений в данной области. Всякое иное решение вопроса было бы казенно-бюрократическим псевдорешением“[4]. Резолюция ЦК партии готовилась под руководством видного деятеля Советского государства М. В. Фрунзе. Партийное решение было разумно, учитывало специфику развития искусства и реальную расстановку художественных сил.

Однако идейная борьба в художественной жизни второй половины 1920-х годов все более накалялась. Вражда „пролетарской“ и „буржуазной“ идеологий, выражавшаяся в крайне примитивной форме неприятия буржуазных „спецов“, каковыми являлась подавляющая масса художников, нажим государственной власти, требующей понятности широким массам художественной формы, с течением времени обострились. Образная сторона искусства в произведениях иных художников, особенно членов АХРР, подменялась внешне сюжетной, где достоинством произведения признавался лишь революционный сюжет, независимо от его концептуального содержания. Слабая художественная форма, удобная между тем для прочтения сюжета, возобладала над потребностью изъясняться специфическим пластическим языком. Групповые интересы постепенно стали подавлять идею свободного творческого развития художников.

Надо сказать, что в резолюции ЦК РКП(б) 1925 года была сделана уступка неразвитому сознанию масс. Вместо того чтобы ориентировать общественность на подтягивание культуры народа до понимания всех сложностей художественного образа, резолюция призывала „выработать соответствующую форму, понятную миллионам“[5], тем самым пренебрегая потребностью самого искусства к саморазвитию.

Общество к середине 1920-х годов было не только многоукладно в социально-политическом смысле, но и довольно пестро по культурному уровню. Социальный статус бывших „служащих“, бывших мещан, бывших „буржуазных спецов“, как и „бывшей“ интеллигенции, существенно понизился. Все эти социальные слои превратились в тонкую „прослойку“, лежащую между двумя определяющими классами — рабочими и крестьянами. Культурные запросы пролетариата возрастали медленно, запросам интеллигенции предпочитались в государстве потребности политически ведущих классов. Это означало, что тип „культурного потребителя искусства“ стал размываться. Все это не могло не

отразиться на требованиях, предъявляемых обществом к искусству. Объявленный плюрализм точек зрения на деле не осуществился.
До середины 1920-х годов государственная политика балансировала между крайностями, умеряла претензии сторон. Она учитывала общественную потребность в искусстве и потребности самого изобразительного искусства. Но к 1930-м годам понимание проблем искусства, его общественного функционирования стало резко меняться. Возобладали монопольные взгляды на истину, стремление к унификации искусства, к подчинению множества „единственно верному" направлению, якобы увязываемому с пролетарской идеологией, с мнением масс по вопросу искусства, с задачами пропаганды революционных идей, которые к 1930-му году весьма часто подменялись внешним иллюстрированием революционных событий. Убедительное объяснение происшедшим переменам и возникшим в этой связи толкованиям задач искусства в сознании руководящих деятелей того времени дает письмо начальника Главискусства А. Свидерского, адресованное заведующему Госиздатом РСФСР А. Халатову: „До последнего времени основной задачей было сохранение, усвоение и приумножение всего того ценного, что оставило прошлое в области искусства. Теперь стоит другая задача, которая из года в год все острее и острее становится в порядок дня: это — овладение искусством со стороны рабочих и крестьянских масс, или, выражаясь образно, своего рода „захват" искусства трудящимися [. . .] Для этого оно должно „реконструироваться" во всех отношениях [. . .] „захват", конечно, не должен быть чем-то вроде „вооруженного восстания", но который должен быть в конечном итоге революционным действом.
Под этим углом зрения и надо понимать имеющиеся в известном постановлении СНК указания на необходимость „идеологического и организационного руководства искусством" со стороны государства в лице Наркомпроса"[6].
Политика, провозглашенная резолюцией ЦК РКП(б) от 1925 года, предоставляющая равные права художественным направлениям, коренным образом перекраивалась на рубеже 1920—1930-х годов. Как известно, 1929 год явился „годом великого перелома", тогда развернулась и активная борьба за „пролетарское" искусство, сокрушающая всяческое инакомыслие. Постепенно отрабатывался „единственно правильный" критерий, долженствующий установить в государстве четкие очертания истинного и ложного искусства. Стремление ввести творческие искания в определенное русло привели к принятию на 1-м Всесоюзном съезде советских писателей в 1934 году формулы социалистического реализма. К этой формуле крайне правые объединения подходили медленно, но последовательно, минуя ряд промежуточных определений типа героического реализма или революционного романтизма.
Как печальное следствие случилось следующее: 1930-е годы прошли в стране под знаком ревизии изобразительного искусства. Отныне никакие усилия художников вырваться из круга административных предписаний, существовавших гласно или негласно, не увенчивались успехом.
Вернемся к вопросам: какие же тенденции возобладали, какие сникли, пришли в упадок? Что было предано забвению и чему распахнули двери? Октябрьская революция в корне изменила отношения властей и искусства. После Октября государство становилось как бы единственным посредником между искусством и потребителями художественных ценностей.
Начало XX века дало русскому искусству сильный толчок к серьезнейшим преобразованиям. Мощная волна пластических открытий, новых форм художественного мышления перекатилась через революционный рубеж 1917 года. В начале XX века продолжали функционировать художественные объединения, бывшие актуальными для XIX века. Сильно ослабленное Товарищество передвижников, утратившее остроту социальной проблематики, распалось (1922 год). На его месте возникла Ассоциация художников революционной России. В нее вошла часть бывших членов Товарищества передвижных художественных выставок, Московского салона и Товарищества художников московской школы.
Новое объединение декларировало необходимость отражения искусством событий текущего дня, создание „документов эпохи". Документирование быта художникам этого многочисленного объединения (около восьмисот членов в лучшие годы его деятельности) вполне удавалось. Разумеется, оригинальность произведения, его высокий художественный уровень не могли находиться в прямой зависимости от численности приверженцев данной художественной концепции. Из многочисленного состава ахрровцев можно выделить буквально единицы создавших в 1920-е годы значительные произведения искусства.
К блоку „натурного" искусства следует отнести пластически более оригинальных и по-своему прогрессивных живописцев, принадлежавших "Союзу русских художников". „Союз" прекратил свое существование в 1923 году, преобразовавшись в Объединение художников-реалистов (ОХР). В известной мере ОХР противостоял АХРР серьезностью художественных задач, требовательностью к форме и мастерству исполнения.
К тому же блоку реалистического искусства, как называли себя приверженцы натурного письма (хотя нередко с бóльшим основанием их можно отнести к натурализму, фактографизму, бытописательству), должно причислить и немалое число живописцев других художественных обществ — Общества художников имени И. Е. Репина, Общины художников, Общества имени А. И. Куинджи и других. Уже с пер-

вых послеоктябрьских лет стало ясно, что принцип фактографии не изжил себя и что он даже может сделать заметные успехи в сложении художественного образа. То, что казалось анахронизмом, в действительности явилось если не новаторством, то, во всяком случае, аналогией с общим потоком европейского искусства, где с конца 1910-х годов все более и более ярко и последовательно жесткий принцип фактографии порождал документально точную картину мира. В произведениях „прародителей гиперреализма“ Г. Шольца и Р. Шлихтера, Д. Кета и К. Виллинка, С. Спенсера и А. Визеля, О. Мартин-Аморбаха и Ф. Казорати мир предстает точно фиксированным, без малейшей авторской деформации, предметно убедительным. В России И. Бродский, В. Шухаев, В. Яковлев, Е. Кацман, В. Перельман стали применять жесткую, „латунную“ манеру также на рубеже 1910—1920-х годов, создав портретные композиции, натюрморты и пейзажи, в которых время оставило свой впечатляющий след.
На „натурное“ искусство постоянно оказывали влияние два обстоятельства: навязывая идеологичность содержания и потребность в пластическом развитии. Не альтернативой жесткой фактографии, а одной из ветвей русского реализма рисовалось то течение „натурной“ живописи, которое, обогащенное импрессионистической пластикой, как бы снизив передвижническую остроту социальности, обращалось к духовному состоянию русского человека, переживающего меланхолию мокрых лугов и перелесков или наслаждающегося прелестью обычной деревенской и провинциальной жизни (К. Юон, П. Петровичев, Л. Туржанский, В. Бакшеев, М. Нестеров, П. Крылов и другие). Мелодия цвета и живописные консонансы служили главным средством лирического переживания художника. Надо сказать, что эмоционально емкий реализм хоть и не ставил в 1920-х годах больших социальных проблем, являлся одним из главных стержней национальной школы живописи. Ему были уготованы общественные терзания, так как в 1930-х годах силой общественного мнения, поддержанного, а может быть, и спровоцированного государственной властью, он вынужден был предать забвению пластическую сторону искусства ради педалирования содержания, увиденного в свете торжественного воспевания успехов социализма. Так, в среде приверженцев натурного реализма и натурализма стали возникать ликующие и восторженные полотна, воссоздающие действительные и мнимые достижения нового общества.
В 1920-х годах советское искусство жило без пресса бюрократического официоза. Очевидно, поэтому представилась возможность свободного и даже беспечного творческого волеизъявления. Если оценивать творчество, исходя не из сюжетной актуальности, а с учетом образно-пластического потенциала произведения, то одной из центральных фигур реализма следует назвать К. Юона. Кажущуюся прозаической жизнь он возводил в разряд высокого поэтического образа. Природа полыхала у него радостными красками, емкий и активный цвет произведений доставлял наслаждение эмоциональным богатством тончайших и разнообразных оттенков.
В 1920-х годах мастера русского натурного реализма создали серию замечательных изображений известных деятелей русской культуры, революции, государства. Среди портретистов этого периода выделяются С. Малютин, И. Бродский и А. Архипов. Наметилось как бы два подхода к личности человека. Одни художники — к ним прежде всего относился Малютин — стремились запечатлеть своеобразие человеческой индивидуальности, особенности его духовного облика. Другие — как Архипов — обращали внимание на типизацию, пытаясь представить на холсте не столько индивидуальность, сколько социальный типаж. Для творчества Архипова характерны образы крестьянок, изображенных свободно, красочно и оптимистично.
Русский реализм долго сохранял жанровую иерархию, в которой сюжетной картине и портрету отдавалось явное предпочтение. В жанровом ранжире заключалось многое из содержательного смысла творчества. В совокупности с пластическими элементами жанровая природа произведения оказывала сильное влияние на сложение художественного образа. В то же время в 1920-е годы „натурные“ искусства казались анахронизмом на фоне буйно процветающего авангардного творчества. Медленное „угасание“ в 1930-х годах искусства мастеров-реалистов старшего поколения можно было бы принять за снижение художественного уровня реалистического творчества вообще. Однако на смену старшему поколению пришла молодая генерация художников — С. Герасимов, А. Пластов, П. Корин, Б. Иогансон и другие, в творчестве которых социальная проблематика набирала силу, а конфликтность затрагиваемых жизненных проблем словно воссоздавала в новое историческое время высоту драматического осознания реальности, свойственную еще передвижникам.
В реалистическом искусстве начала 1930-х годов обозначилось далеко не иллюстративное, а напротив — сущностное, полное трагедийного мироощущения восприятие мира. Наиболее масштабно и грандиозно это трагедийное ощущение действительности отозвалось в творчестве П. Корина. Свое большое полотно „Русь уходящая“ он так и не осуществил, но портреты и композиции, сделанные к картине, остались сильнейшим образным документом эпохи.
Упрочение „натурных“ форм живописи в русском искусстве имело аналогии с европейским искусством. В 1930-е годы многие бывшие постимпрессионисты — М. Вламинк, А. Дерен, К. Ван-Донген и другие, отличавшиеся ранее деформацией натурных форм, применяемой ради обострения ху-

дожественного образа, вдруг начинают возвращаться к прежнему, как будто исчерпанному способу выражения. Это движение к предмету объясняется рядом следующих факторов. Истощением, к примеру, первой волны абстракционизма, замененного другими новациями: в искусство возвращается желание освоить и оценить непосредственно сам предмет („дада") и во многом — предметные формы для создания сюрреалистической картины мира (Д. де Кирико, Р. Магритт, Ф. Радзивилл, А. Канольдт, С. Дали и другие). Появляется своего рода гипертрофия предмета, осознание его таинственной жизни. Реабилитации предмета и предметных форм в советском искусстве способствовала государственная политика, поощряющая искусство, понятное широким массам.

В связи с этим возникает закономерный вопрос, насколько могли правительственные решения, „регулирующие" искусство, влиять на его развитие. История свидетельствует, что искусство постоянно репродуцирует общественные настроения, идеи, социальную психологию масс весьма часто в формах невиданного ранее художественного мышления. Задержать нарастание нового оказалось невозможным. Редкими ручейками оно все равно пробивалось из-под почвы. Но правительственная власть могла не допустить, ограничить или пресечь те или иные творческие начинания. Так, к концу 1930-х годов были фактически запрещены все „формалистические" течения, то есть искусство не „натурное" и тем более не „идеологичное".

Может быть, поэтому на рубеже 1920—1930-х годов многие авангардные направления, возникшие еще в 1910-х годах, „онатуривались", утрачивали былую новизну, возвращались как бы вспять к своим истокам. Так произошло с художниками „Бубнового валета". После Октября они перестроили свои ряды и в 1925 году попробовали воссоздать художественную платформу на основе значительно измененных принципов. Декларация „Московских живописцев" 1925 года провозгласила слияние нового содержания и новой формы, при этом отвергался „эстетизм" беспредметников и производственников. Во главу ставилась культура формы и цвета. „Органический реализм этой группы освобождал живопись от преобладания в ней психологизма, стилизации, мистики и других явлений декаданса"[7].

Удивительно, что бывшие примитивисты и кубофутуристы в середине 1920-х годов оказались ближе всех к реализму в его материально-пластическом, „натурном" толковании. Несмотря на то что при возникновении "Бубнового валета" в 1910 году была провозглашена приверженность французской живописи постсезанновского периода и национальной традиции, воплощенной в формах изобразительного фольклора, многие из художников приступили к истинному освоению сезанновского творчества в годы революции и, по словам Кончаловского, полностью преодолели эту традицию только к 1929 году [8].

Азы кубистического построения формы бубнововалетовцы прошли еще до революции. Некоторые из них — Лентулов, Рождественский и другие — пошли дальше и освоили кубофутуристическое пластическое движение, через которое смогли выразить неустойчивость эпохи, интуитивно осознать крушение государств и социальных систем, военные катаклизмы и духовные потрясения человечества XX века. В 1917—1923 годах они по-настоящему осваивают сезанновскую пластическую конструкцию, что особенно заметно в произведениях Лентулова и Кончаловского, Фалька и Рождественского, Мильмана и Г. Федорова. И, пожалуй, только И. Машков выбрал путь фактурно-осязаемой предметности, к принципу которой в начале 1920-х годов начинают присоединяться остальные члены некогда монолитного творческого объединения.

Едва ли не главным методом постсезанновского искусства стало „остранение" (выражение В. Шкловского), при котором смысловой акцент переносился на активизацию пластической формы, долженствующую преодолеть стершиеся или назойливо повторяющиеся приемы.

В 1920-х годах появляется монументальная по заложенному в ней пафосу новгородская серия картин Кончаловского. Художник не только возвеличивает, насыщает весомостью пластическую форму, но при ее посредстве создает значительные образы новгородских рыбаков, а также мощной древней архитектуры Руси, сообщая этим образам символический смысл, словно бы воплощающий духовные устои самобытного русского характера.

Обращенность к северу, к его неторопливому бытовому укладу, рыбацкому обиходу, крепким и уравновешенным обитателям сурового северного края отличаются и картины В. Рождественского рубежа 1920—1930-х годов.

Может показаться странным, что в конце 1920-х годов произведения многих художников Общества московских живописцев вдруг проникаются лиризмом, ощущением интимности тихой московской жизни, размеренности городского быта. Этот поворот в творчестве А. Лентулова, Р. Фалька кажется тем более неожиданным, что монументальная форма их произведений будто бы была противопоказана „интимизму". Однако остаются неоспоримым фактом заснеженные московские улочки П. Кончаловского, несущие уютное чувство горожанина, прочувствованность его медленно текущего бытия, полного обаяния и лиризма. Так, А. Лентулов в серии пейзажей вечерней Москвы, как бы отрешившись от кубической увлеченности, проникается обаянием вечерних огней московских окон, за которыми видится жизнь простого обитателя большого города.

Меняя на рубеже 1920—1930-х годов смысловые ориентиры творчества, художники этой московской группы отказываются от монументальной формы, переключив свое вни-

мание на новую пластику, где акцент переставляется на богатство живописной фактуры, на материальную красоту предметного мира. Такая программа сближает их с реализмом союза русских художников, ведь и те и другие уделяли преимущественное внимание натуре, ее физическому своеобразию, материальной ощущаемости мира, пластической емкости предмета изображения. В 1930-х годах творчество Юона и Рождественского, Петровичева и Машкова, Рылова и Куприна сближается довольно тесно.
Однако каждый из них в 1930-х годах имел свой пафос живописания предметного мира. И вместе с тем сохранял нечто общее, принципиально важное для цельной пластической системы. Представители Общества московских живописцев как бы сочленяли импрессионистическую и сезанновскую пластику. К предметному миру они относились ровно так же, как к воздуху, свету и цвету, имеющим для них значение предметов, равнозначной материи. Воздушная среда в произведениях Фалька оказывалась тяжелой, пастозно прописанной, словно равновеликой предметному изображению. „Опредмеченный" воздух колышется, вибрирует цветовыми оттенками, живет и дышит, подобно воздушной среде в картинах импрессионистов. Тяжелая и пористая живописная фактура словно наполняется авторской эмоцией, становясь не менее психологичной, чем в произведениях членов Союза русских художников, хотя, как мы видели, некоторые сторонники Общества московских живописцев поначалу отвергали всяческий психологизм.
Полыхает страстью жаркое солнце лентуловских закатов. Предельно скупо и столь же тщательно выверено точное фактурное письмо в интерьерах и пейзажах Кончаловского. Эти живописцы вошли в 1930-е годы с известными издержками. Пластическая форма в творчестве многих из них (Машков, Куприн, Осмеркин, Рождественский, Лентулов) поблекла, утратила былое „остранение" и, следовательно, выразительность. К тому же художественная критика того времени оказывала сильное давление на их творчество, ибо молчаливо или гласно „несогласные", не укладывавшиеся в теорию социалистического реализма, объявлялись формалистами. Это вынуждало художников подтягивать свое творчество к „натурным" формам выражения.
И, пожалуй, только один Фальк до конца остался верен тонкой и сложной живописи, воплощающей духовные переживания человека.
В 1930-е и последующие годы, как известно, развернулась беспрецедентная в истории искусства война с „формализмом". Первым, кто сформулировал это понятие якобы „бессмысленного искусства, облаченного в искаженную форму", являющуюся не чем иным, как „буржуазным кривлянием", был О. Бескин[9]. Некомпетентные суждения, директивные рекомендации невежд стали указующими для жизни изобразительного искусства. Газеты „Правда" и „Комсомольская правда" подвергали остракизму лучшие произведения музыки, литературы, театра, изобразительного искусства. Как по команде, их поддерживали художественные журналы. „Разоблачению" подвергались лучшие художники — В. Конашевич, В. Лебедев и другие — за „надругательства" над детьми, для которых они якобы делали „формалистические" иллюстрации. Кончаловский, Рождественский, Лентулов, подверженные „парижским кривляньям" (выражение Е. Кацмана), были отнесены к разряду „идеологически сомнительных". Об „истинных" формалистах — Малевиче, Татлине, Филонове и многих других — и говорить не приходится: они были прочно вписаны в перечень „несоветских" и, по сути дела, лишились права на творчество.
В 1924 году образовалось Объединение художников-станковистов — ОСТ. Примечательным было то, что его составили главным образом молодые художники — выпускники Вхутемаса. Во главе общества стал видный деятель культуры, художник Д. Штеренберг. Остовцев, да и то не всех, связывало сначала пристрастие к экспрессионизму. Но вскоре обнаружились не только разность их подхода к искусству, но и принципиальное расхождение творческих принципов входящих в объединение художников.
Экспрессионистскую тенденцию представляли А. Дейнека, Ю. Пименов, А. Лабас, А. Тышлер и художники других творческих объединений (А. Древин, Н. Удальцова и другие). Следует иметь в виду, что одной из особенностей русского экспрессионизма являлась его приверженность примитивизму. В форме неопримитивизма возник, например, в 1900-х годах экспрессионизм М. Ларионова, Н. Гончаровой, А. Шевченко. Эта тенденция продолжалась и в советское время, получая неожиданные импульсы к возрождению неопримитивизма в начале 1920—1930-х годов.
Однако экспрессионизм проявлялся и в прямом виде в 1900—1910-х годах в творчестве Лентулова, Кандинского, Бурлюка, Матюшина, О. Розановой и других. В советское время экспрессионизм, разумеется, преобразовался соответственно новым условиям бытия искусства. Сильное влияние оказал на Пименова, Лабаса, Древина, М. Соколова немецкий экспрессионизм, ставший доступным для советских художников благодаря усилившимся контактам между СССР и Германией. Нервозные образы жертв первой мировой и гражданской войн, резко выразительные мотивы, воплощенные почти силуэтно, плоскостно, в броской плакатной манере (Пименов, Дейнека), вследствие чего образам придавалась особая динамичность, — далеко не единичные приметы экспрессионистской пластики.
Применительно к названным художникам более правильно, так же, как и в отношении некоторых других остовцев, употребление понятия „новая вещественность", получившего в Германии распространение как одной из разновидностей

экспрессионизма, по другим определениям — „магического“ реализма. Никакое другое художественное направление, пожалуй, не смогло передать эпоху революции и индустриализации страны 1920-х годов так впечатляюще, как это сумели сделать ведущие остовцы. Образы их произведений колоритно воспроизводят дух, ритмы, эмоциональное напряжение эпохи. Художники ОСТа владели даром обобщения. Не размениваясь на бытовые подробности и детали, не вдаваясь в индивидуализацию персонажей, они создавали образ социальных явлений, более того, образ времени, его стержневой духовно-психологический импульс. Великое время запечатлевалось в монументальных формах, придающих картинам значительность и эпохальность.

Художником, мыслящим в той же системе пластических координат, что и Дейнека и Пименов, был ленинградец А. Самохвалов. И он был не одинок. Ленинградские художники, стилистика которых совпадала с суровой живописью остовских картин, С. Павлов и Н. Дормидонтов не менее строго, чем художники ОСТ, воспринимали пролетарские окраины старого Петербурга. Остовское же влияние прослеживается в творчестве многих художников 1930-х годов. Лик экспрессионизма имел множество индивидуальных выражений, причем в 1930-е годы у одного и того же художника он становился совершенно иным, чем в 1920-е годы. Экспрессивное письмо расплывающимся цветом, словно воплощающим тревожное время революционных событий, в произведениях Лабаса сменяется в 1930-е годы острым, „черенковым“, колючим рисунком его композиций.

Поражает скупая, необычайно лаконичная, лишенная многословия манера „остовского“ изъяснения. Среди экспрессионистски мыслящих художников наиболее последовательным были, пожалуй, А. Древин и Г. Траугот. В произведениях Древина запечатлелась, может быть, не сама реальность, а ее лирическое переживание, будь то алтайские колхозы, спуск на парашюте, деревья, море и барки. Главным для художника становилась песенная мелодия цвета, льющегося мазка, нежного колорита.

Русский экспрессионизм не был столь варварски кричащим, как немецкий. Его цветовая скромность как бы смиряла экспрессионистическую страстность изобразительной речи. Поэтому экспрессионизм 1920—1930-х годов казался будто бы недовыраженным, „смазанным“. Однако русский экспрессионизм имел и свои крайности, превращавшие его в новые типологические направления. Примитивизм исполнения тоже был методом, предоставляющим художникам возможность обострения образа. Сам же примитивизм мог „забывать“ о своей манере ироничного и анекдотического рассказа и возноситься до гротескового накала.

В 1920 году возникло молодежное Новое общество живописцев (НОЖ). Оно просуществовало всего два года, открыло четыре выставки, но, несмотря на столь короткую деятельность, обозначило неожиданное сатирически примитивистское направление (С. Адливанкин, А. Глускин, М. Перуцкий, Н. Попов). Произведения примитивистов, подобно сатире, высмеивали негативные стороны жизни: узкий интеллектуальный кругозор людей, новый советский бюрократизм, зазнайство властей, анекдотичный быт, бескультурье. Художественный уровень этих работ зачастую высок. Молодые живописцы как бы приравнивали свои воззрения на действительность к литературам, талантливо и оригинально отражавшим советскую действительность 1920—1930-х годов (В. Маяковский, М. Зощенко и другие). Актуальный по тем временам примитивизм пополнился новыми творческими достижениями, но что важно — он преобразовался в поток искусства, предложивший гротесковую и даже фантасмагорическую образность. Эти художественные образы, не новые для мирового искусства, в условиях советской действительности казались неожиданными. Неопримитивизм советского времени смотрел на мир глазами обывателя, как бы мыслил на уровне его интеллекта. Художник „входил“ в образ своих персонажей, соответствуя его неразвитому сознанию. Поэтому язык неопримитивизма казался языком анекдота, окрашивался сатирическими красками. В самом художественном образе словно бы происходил диалог живописца с реальностью, где реальность подвергалась убийственной иронии.

Более мягкую форму иронии-насмешки имело творчество Шевченко („Батумская серия“). Художник еще в 1910-х годах опубликовал сочинение по теории неопримитивизма. В конце 1920-х годов он будто возвращался к своему раннему творчеству, создав выразительную, несколько шаржированную картину быта сонного южного города.

Русский примитивизм имел побуждение выплеснуться в гротеск, вылиться в сильном, обостренно-напряженном гиперболическом образе. К гротеску обращались на протяжении 1920-х годов художники разных творческих ориентаций, но случаи эти носили эпизодический характер. Гротеск и шарж в разное время втягивали в свою орбиту таких живописцев, как Р. Френц, Н. Денисовский, Б. Иогансон, Г. Ряжский и другие. Однако наиболее последовательно он воплотился в образах произведений рано умершего Ю. Щукина. Его картины провинциального города напоминают театр абсурда, театр сатирических масок, в результате чего изображенная в нем жизнь кажется кошмарным сном. Реальность в картинах Щукина деформирована, вследствие чего обнажен ее истинный, потаенный смысл. Намеренное „косноязычие“ изъяснения представляет тот инструмент, посредством которого художник высказывает способность раскрыть неразвитое массовое сознание, абсурдность существования обывателя.

В условиях массового прославления советской действи-

тельности во второй половине 1930-х годов ни гротеск, ни неопримитивизм не могли удержаться на поверхности художественной жизни. Им на смену так же, впрочем, как и другим не „натурным“ художественным направлениям, шло искусство, приукрашивающее советский образ жизни, возвеличивающее „вождя народов“, искусство льстивое, „аплодисментное“. Подмостки художественной жизни выдвинули новых „героев“ — славильщиков советской жизни, словно намеренно не замечающих разворачивающихся в 1930-х годах человеческих трагедий, массовых репрессий, разгрома крестьянства, преследования инакомыслящих. Бациллой прославления заражались многие художники, но среди них вырвались вперед лидеры культа личности Сталина — А. Герасимов, В. Ефанов, Д. Налбандян.
Удивительно, что в среде иллюзорного искусства сохраняло свой фантастический характер творчество А. Тышлера, экспрессионистические истоки которого были очевидны. Если обратиться к европейским аналогиям, то из творчества немецких экспрессионистов (Г. Гросс, О. Дикс, М. Бекман и другие) зарождались „дада“ и другие абсурдистские течения. Нечто подобное происходило и с искусством Тышлера, ни на кого, впрочем, не похожего, в полной мере оригинального и вряд ли повторимого. На художника оказывало несомненное влияние творчество М. Шагала с его удивительной способностью к фантастическому воображению. Но начал Тышлер с полных экспрессии сцен из истории гражданской войны („Махновщина“), написанных страстно, со знанием очевидца. Экспрессионизм доставил Тышлеру импульс к фантасмагорическим превращениям. Это было новое, принципиально отличное от привычных реалистических методик мышление. Художник жил как бы вне натурных измерений. Его мир безудержной фантазии получал духовные импульсы из земного мира и превращал их в затейливые картины человеческого воображения, фантазии. Мир Тышлера — это не только вселенская мечта, но и собственное духовное пространство, а языком ее становятся иносказание и аллегория. Его искусство не переносит реальность на холст, а создает миры, являющиеся отражением смятенного духа человечества.
Мечта проявлялась в искусстве 1930-х годов по-разному. „Прославляющее“ искусство также творило мечту, но мечта эта имела иллюзорное основание. Однако общественный оптимизм, как и уживающаяся с ним трагедийность, были реальностью. Иллюзия находила выход в творчестве романтиков (А. Рылов, К. Богаевский, Н. Крымов, К. Редько и другие). Искусство Рылова встретило революцию эпохальным произведением „В голубом просторе“ (1918), где выражались надежды человека на светлое будущее. Смысл романтического образа Рылова не в воспроизведении натурного впечатления, а в чутком воссоздании общественного настроения — мечты о счастье. Рылов в 1920-х годах близок к реализму. Его пейзажи мало чем отличаются от произведений реалистического круга. Но в начале 1930-х годов в его творчестве возникает новая романтическая волна. Художник воспринимает мир возвышенно, взволнованно, в ярком декоративном обрамлении. Образы Рылова близки декоративным картинам его учителя А. Куинджи, традиции которого он сохранял до самой смерти.
Другой художник-романтик, К. Богаевский, произведения которого создавали образ прекрасной, воображаемой страны, лишь отдаленно напоминающей реальную действительность, на рубеже 1920—1930-х годов, увлеченный грандиозным строительством Днепрогэса, пишет фантастические города, в которых прозревает явь будущих городов страны. Романтическим пейзажам художника присущ возвышенный строй мысли, но главное заключено в другом: Богаевский создает образ желанной страны, полной света и красоты, образ прекрасной земли, в основе которой лежит вполне реальная природа Крыма. То, что раньше в его творчестве обретало символические черты, в работах 1930-х годов было исполнено романтической иллюзии, прочно слитой с социальными иллюзиями общества. Иногда кажется, что мир Богаевского — это не столько иллюзия, сколько мечта о благостной земле, где человеку живется привольно и свободно.
Искусство русских романтиков можно, таким образом, приблизить к своего рода мифотворчеству, где миф творили по законам мечты или в качестве антитезы реальности. Однако лживым мифотворчеством можно назвать искусство славильщиков и лакировщиков, беззастенчиво искажавших неулыбчивую суровую реальность.
Романтический образ имел побуждение символизироваться. Это его свойство в полной мере проявилось в дореволюционном творчестве Богаевского, Крымова и Рылова. Граница между романтизмом и символизмом оказывалась проницаемой. Подобными же чертами символизации образа, философским раздумьем обладало творчество К. Петрова-Водкина. Лучшие его работы, среди которых особое место принадлежит полотну „Смерть комиссара“ (1927), имеют много общего с иконописной символикой. По своему смыслу картина „Смерть комиссара“ — это своеобразная пьета, переложенная на современный изобразительный язык. Петров-Водкин использует христианскую символику, размышляя о коллизиях своего времени: о жизни человека, революции, смысле человеческого присутствия на земле, участия в социальной борьбе. Через извечные сюжеты и темы искусства он пытается осознать проблемы жизни страны, людей нового общества. Художник убеждает в тяжести взятых человеком обязанностей и хочет обнажить и поставить перед мысленным взором каждого вопросы об ответственности и этике поведения в сложных перипетиях эпохи. Однако нравственные постулаты Пе-

трова-Водкина не христианские. Художник лишь использует внешнюю символическую канву христианской этики, наполняя ее трагедийным напряжением современной действительности.
Живописная пластика преобразовывает иконописную стилистику, а разработанная художником сферическая перспектива позволяет конкретные сюжеты поднять до понятий планетарного значения.
Петров-Водкин — художник эпического плана. Подобно Дейнеке и Корину он осваивал действительность в ее тягчайших для человека следствиях.
Он состоял в обществе „Четыре искусства", собравшем в своих рядах художников яркой индивидуальности. Здесь необходимо выделить оригинального художника, не имевшего продолжения в творчестве учеников, — это П. Кузнецов, который обладал необычайно чувствительной кистью и редким изяществом исполнения. „Киргизская сюита", созданная им в 1910-х годах, несет в себе некое магическое спокойствие, таинство жизни, воспринимаемое как символ восточного миросозерцания. Его произведения советского периода, особенно 1920-х годов, отличают достоинство изображаемого человека, динамика и энергия строительных ритмов. Кузнецов не подражает натуре. У него свой мир художественных превращений, где натура — лишь первоначальный импульс к созданию изящного и торжественного, замедленного и стремительного картинного мира.
Возвращаясь к вопросу о художественных индивидуальностях, представляющихся некими художественными вершинами, нельзя обойти вниманием фигуру П. Филонова. Художник создал оригинальную систему искусства. Система породила школу, в которую вошли немногие его ученики, В. Сулимо-Самойло, С. Закликовская, Е. Кибрик, М. Цыбасов и другие.
Существо „аналитического" метода Филонова сводилось к тому, что, отвергая все, в том числе и новейшие (кубофутуризм) системы, допускающие волевое представление о строении предметов, художник предложил органическое строение формы, не домысленное им, а исходящее из заложенных в живом организме эволюционных потенций. Форма понималась как процесс, воспроизводяший энергию сил, заложенных в предмете, природе. Живопись Филонова революционного и послереволюционного периодов как бы складывалась из неких корпускул, в каждой из которых просматривался автономный мир, разрастающийся в целостный макрокосм, возбужденный переменчивой энергией жизни. Картины Филонова направлены против звериной сущности цивилизации в том виде, в каком она предстала перед человеком начала XX века. Композиции филоновского цикла „Ввод в мировой расцвет", „Формула пролетариата", „Формула весны" (1928—1929) и другие обращены к человеку, проникнуты волнениями за его судьбу. Художник создал своего рода социальную утопию, иллюзорную модель мира, где все живое на земле, все природное сосуществует в мире и благодати. Гуманистическая сущность филоновской иллюзии наступающего социального равенства входила в противоречие с жестокой реальностью. Художник видел это и старался преодолеть вселенской любовью к человечеству.
Творчество Филонова чрезвычайно самобытно. Оно находится в русле авангардной русской художественной культуры. По своим идеям, пластике, формальным откровениям — это искусство мирового уровня, на который поднимаются только единицы.
Судьбы русского революционного авангарда имеют особое значение для мирового опыта и национальной школы. Следует оговориться, что понятие „авангард" сугубо конкретно для каждого исторического времени. В годы революции в это понятие были включены различные варианты беспредметного искусства, супрематисты и конструктивисты в том числе, группа Филонова, П. Мансурова и некоторые другие. Но уже кубисты и футуристы, по понятиям революционных лет, относились к центру, ибо на правом фланге от них располагалась обширная масса традиционного искусства, сохранившего немалое значение в параллелограмме художественных сил того времени.
В революцию для авангарда сложилась благоприятная конъюнктура. При царском режиме авангардные художники, будучи гонимы официальной властью и проживая на чердаках, почувствовали родство устремлений с движущими силами революции: „Революционеры художественных форм протянули руку революционерам жизни"[10].
Подобное сравнение имело определенные основания. Дело в том, что искусство XX века испытывало действительно революционные преобразования. Исчерпанное в определенной мере традиционное искусство не могло выражать „музыку революции". Абстракционизм Кандинского, лучизм Ларионова, супрематизм Малевича предложили миру новые формы художественного мышления, где неизобразительные формы не только опровергали необходимость „идеологического" искусства, но ставили искусство вообще на грань исчезновения, поскольку оно рассматривалось в другой системе координат, а именно: как творческое изобретение, имеющее к природе изобразительного искусства весьма отдаленное отношение. Беспредметное творчество еще пыталось освоить духовный и материальный мир, сохраняя некоторые средства традиционного изобразительного языка — ритм, цвет, колорит, композицию цвета и рисунка, плоскостность письма и т.д. Искусство 1920-х годов как бы разветвилось. Одна его ветвь все еще сохраняла предметную изобразительность, оставаясь в пределах пусть и деформированного, но традиционного художественного мышления, отражая мир загадочных связей, интуитив-

ных ощущений, галлюцинаций и прозрений (сюрреализм, отчасти „дада", абстракционизм).
Другая ветвь окончательно изменила природе традиционного мышления, утратила связи с изобразительной структурой искусства и, в конечном счете, с искусством вообще, превратившись в творчество не художественного плана, фиксирующее уловки, находки и повороты человеческого воображения (отчасти „дада", затем поп-арт, оп-арт и прочие). Подобное мышление, как и его результат, находились в другой плоскости оценок, нежели природа художественного мышления. Впрочем, если и невозможно провести строгую демаркационную линию между искусством и неискусством, то нечто приближенное к их размежеванию наметить вполне доступно.
Русский авангард подошел к революции с особым пониманием своего в ней предназначения. Объединяющий многочисленные художественные силы Союз деятелей искусств, созданный еще до Октября, объявил бойкот революционной власти, требуя передать ему руководство искусством. Авангардисты первыми нарушили бойкот, вынеся после бурного обсуждения решение о сотрудничестве с Советской властью. Они вошли в разного рода художественные отделы, советы и комиссии как Наркомпроса, так и московского и петроградского Советов рабочих и солдатских депутатов. А. Бенуа по поводу саботажа интеллигенции высказался неодобрительно: „Господа, которые в трудные дни первыми попрятались по своим дырам, изобрели [. . .] затем глупейший саботаж и тем самым дали [. . .] людям другого мира и невежественным (что их главный грех) овладеть всеми позициями и овладеть прочно"[11]. А вот объяснение сложившейся ситуации, сообщенное наркомом просвещения А. В. Луначарским: „Я протянул футуристам руку главным образом потому, что в общей политике Наркомпроса нам необходимо было опереться на серьезный коллектив творческих художественных сил. Их я нашел почти исключительно здесь, среди так называемых „левых" художников"[12].
Активно сотрудничали в Наркомпросе К. Малевич, В. Татлин, В. Кандинский, О. Розанова, А. Древин, А. Родченко и другие.
Еще до Октябрьской революции Малевич разработал теорию и практику супрематизма, отвергающую все существовавшие до него художественные системы: кубизм, футуризм, экспрессионизм и т. д. Супрематизм относился, так сказать, к „логическому" варианту абстракционизма. Его антипод — эмоциональный, экспрессивный абстракционизм Кандинского. В революционное время, окруженный учениками (утвердителями нового искусства) и последователями, Малевич продолжал эксперименты с художественной формой.
Также до революции в Москве сложилась сильная группа женщин-художниц, решавших в искусстве проблемы конструктивизма, особенно активно внедряемого ими в станковом искусстве, сценографии, промышленности (Л. Попова, О. Розанова, Н. Удальцова, В. Степанова, А. Экстер). Проблема передачи средствами живописи пространства, движения, ритма, веса, тяжести, времени, взаимодействия цвета и света и этим самым выражения своего представления о материальном мире, выявления его органических закономерностей, зафиксированных в зримых цветовых, рисуночных и пространственных формах, неизбежно должны были привести и привели художников к необходимости соединить искусство с промышленностью, с производственной практикой. Это были совершенно новые подходы к искусству, не связанные задачами изображения реального мира в „формах жизни". Особенность беспредметного искусства состояла в том, что утраченная предметная изобразительность заменилась попыткой выражения физических процессов и органических, зачастую невидимых глазом явлений в формах, адекватных представлению об этих процессах.
Абстрактное творчество осталось в сфере искусства, потому что оперировало пластическими свойствами изобразительного языка, переместившегося теперь в область чисто зрительных представлений не о предмете, а о видимой и невидимой, то исчезающей, то улавливаемой „материи". Сомкнувшись с производством, архитектурой, полиграфией, художники вырабатывали нечто подобное модулям наиболее целесообразных предметных форм. Именно поэтому Малевич создает архитектоны, словно отражающие конструктивистскую архитектуру небоскребов, Эль-Лисицкий — проуны, Степанова и Попова — рисунки к текстилю, Татлин и Родченко — проекты мебели и интерьеров зданий, И. Чашник и Н. Суетин — росписи посуды и т. д. К авангарду перешла, таким образом, стилеобразующая инициатива своего времени.
Беспредметное искусство имело выходы и в дизайн, в начале 1920-х годов только что становящимся видом нового художественного творчества.
Однако основная борьба между авангардом и традиционализмом зрела на поле станковизма. Уязвимой стороной беспредметного творчества было его равнодушие к идеологии, хотя при этом выражалась претензия на универсальность абстрактного метода. Надо сказать, что эту претензию высказывали не все сторонники беспредметного искусства. Многие из них оставляли идеологию за рамками искусства, в то время как традиционализм ко второй половине 1920-х годов поставил творчество в прямую зависимость от идеологии и политики. Вульгарная теория Российской ассоциации пролетарских художников (РАПХ) договаривалась до такого пассажа: „Цвет в живописи не может быть беспартийным". В этих условиях лидеры авангарда стараются при-

мирить свое творчество с традиционным искусством. Малевич в начале 1930-х годов возвращается к предметному искусству.
В 1920-х годах большое значение имели художественные общества, в которых художники консолидировались на базе единых творческих и материальных интересов. Общества вырабатывали громкие декларации и творческие программы, в которых излагали свои принципы и позиции. На рубеже 1920—1930-х годов Наркомпрос произвел ревизию всех художественных объединений, а их к тому времени насчитывалось не менее двух десятков. Проверка деятельности художественных обществ специально назначенными Наркомпросом комиссиями стала делом практической реализации вульгарной мысли начальника Главискусства А. Свидерского о необходимости „захвата“ пролетариатом командных высот в искусстве, в действительности же приведшем к усилению административной системы руководства искусством. Ревизоры пытались установить „соответствие“ творчества членов объединений с задачами Советского государства. На самом же деле они способствовали расслоению художественных сил, разделению их по классовому признаку.
В деятельности контрольных органов сказался вульгарно-социологический подход к искусству. Созревающая идея „обострения классовой борьбы“ по мере строительства социализма породила бессмысленную драчку в среде художников. Уличением других в недостаточной революционности отличались художники АХР и особенно — РАПХ, где собрались представители экстремистски настроенной молодежи. Борьба в художественной среде явилась отражением жесточайшего размежевания политических сил, происходившего в партии и в стране.
Вульгарные формы борьбы в искусстве вызывали всеобщее неудовлетворение. Чтобы прекратить бессмысленную и изнурительную „войну“ различных отрядов художников, Постановлением ЦК ВКП(б) от 1932 года распущены художественные общества. Преследовалась цель не просто консолидации художественных сил, но также унификации творческих устремлений: художники стали выстраиваться под общий ранжир, лишаясь неповторимой индивидуальности творческого волеизъявления.
Обострение борьбы искусства 1930-х годов, жесточайшие репрессии, обрушившиеся на головы инакомыслящих, — все это привело к тому, что официально приветствовался единственно „правомочный“ творческий метод: идеология, облеченная в униформу „натурного“ искусства. Существование иных форм стало затруднительно. Многие художники вынуждены были ограничить свои творческие искания.
Но мысль, которой однажды дали возможность зародиться, была неостановима . . .

ПРИМЕЧАНИЯ

[1] А.В. Луначарский. Статьи об искусстве. М.–Л., 1941, с. 496.
[2] В.И. Ленин. Полн. собр. соч., т. 29, с. 51.
[3] А.В. Луначарский. Ук. соч., с. 496.
[4] Борьба за реализм в изобразительном искусстве 20-х годов. М., 1962, с. 83.
[5] Там же.
[6] ЦГАЛИ, ф. 645, ед. хр. 2, л. 69.
[7] Борьба за реализм в искусстве 20-х годов. М., 1962, с. 223.
[8] См.: П.П. Кончаловский. Художественное наследие. Искусство. М., 1964, с. 27.
[9] О. Бескин. Формализм в искусстве. М., 1934.
[10] ЦГАЛИ, ф. 665, оп. 1, ед. хр. 3, л. 8.
[11] Отдел рукописей ГТГ, ф. 94, ед. хр. 4, л. 44.
[12] ЦГАОР и СС, ф. 2306, оп. 23, 1919 г., ед. хр. 69, л. 1 об.

Summary

The Revolution of October 1917 brought about the re-arrangement of all artistic forces in Russia. At first, to the fore came avant-garde movements, for they chose to cooperate with the new Revolutionary government boycotted by the Arts Union, the mass organization of the artists of the country.
Shortly after 1900, the Union of Russian Artists was organized, with the idea to renovate the principles of painting, relying on the Impressionists' and Decorativists' achievements, neglected by the Itinerants at their late period. After the Revolution a re-orientation of realist artists took place. In 1922 there emerged such mass organization as the Association of Artists of Revolutionary Russia and the Union of Realist Artists, which were joined by most of the members of the Union of Russian Artists. These organizations saw their goal in depicting every-day life and revolutionary events in the spirit of heroic realism. In addition, the painters of the Union of Realist Artists (Konstantin Yuon, Pyotr Petrovichev, Vasily Baksheyev, Igor Grabar, Sergey Gerasimov) depicted Russian landscapes and provincial towns, focusing on old Russian architecture and traditional villages, where, at the time, the greater part of the population of Russia was concentrated. The paintings by these artists are characterized by fine workmanship; many of them are by excellent masters of portraiture which was to take the leading position in Soviet art. The artists (Sergey Malyutin, Vasily Meshkov, Mikhail Nesterov, Isaac Brodsky) have portrayed many outstanding revolutionaries, as well as men of letters and arts, leaving to us a kind of historical record of their time.
In the 1930s, however, in spite of official eulogies of the "new life", tragic notes evoked by the tragic reality appeared in the works by many artists, for instance, Pavel Korin's studies for the never painter *Disappearing Russia* permeated with dramatic comprehension of the epoch.
At the same time, a trend concentrating on factual aspects of life separated itself within naturalistic movemnents. The most outstanding repressentatives of this trend were Isaac Brodsky, whose subject matter was predominantly revolutionary events, as well as Yevgeny Katsman, Viktor Perelman, Vasily Shukhayev, Vasily Yakovlev. Their works are characterized by the precision of drawing, rigid manner of painting, and devotion to exact and meticulous detail.
Paintings by most of the members of the Association of the Artists of Revolutionary Russia were illustrations of events whose trues significance they were not able to comprehend. However, their art was a kind of reflection of mass consciousness satisfied with the reality as it was.
Generally, post-Revolutionary art was a continuation of pre-Revolutionary trends, styles and movements, modified by and adapted to new circumstances. The naturalistic tendencies gravitating towards "true-to-life forms" (expression used by functionaries responsible for art) resulted, in the 1930s, in the levelling of all artists according to one common standard hostile to any manifestation of individuality. On the other hand, the common attitude to art as a means of glorifying the current life and the ornamentation of reality, typical of the 1930s, led to a certain stereotype based on the false idea of what art *should* be like. In many instances, this stereotype had nothing to do with either reality or history.
A different approach was assured by the Knave of Dismonds group. From the very first months of the post-Revolutionary period many of its painters participated in the work of the Ministry of Education. Around 1920, some of them returned to Cézanne's pictorial idioms which they adapted to the new subject matter, abandoning, at the same time, folklore motifs. At least,two stages can be discerned in the evolution of the art of this group which, in 1925, established the new Moscow Painters organization. The Cézannesque approach to the readering of reality had been substituted, in the late 1920s, by a more intimate handling of theme. The artists of the Moscow Painters group were interested in the object and its texture, as well as the growth of the living matter whose physical qualities, vividly reproduced by artist, may become an object of savouring. At the time, Pyotr Konchalovsky was painting a series of views of Novgorod, later he turned to Moscow lanes. In some of Lentulov's paintings the artist seems to be seizing the rays of the scorching sun; in others we see the irridiscent lights of the night-time Moscow. Osmyorkin, Falk, Kuprin and Rozhdestvensky are the autors of views imbued with fine vibrations of the emotional excitement of Moscow streets, Crimean heat, or austere northern nature. In the early 1930s their style seems to have become closer to that of their "allies", artists painting directly from nature.
In 1924 some of the young painters joined together to from the Easel Painters' Society which included predominantly the graduates of the Workshops of Art and Design. The painters were under the influence of contemporary German art and some of the avant-garde experiments of their teachers. Their preoccupation with themes of social significance manifested itself in their first works showing the tragic consequences of World War I (Yuri Pimenov), Revolution and Industrialization (Alexander Labas, Alexander Deineka) or the drama of the Civil War (Alexander Tyshler). The members of the group relied solely on easel painting, making it the core of their programme, and discarding traditional methods of depiction. They saw their goal in depicting historical events, using contemporary colours and rhythms. Besides the Revolution, their themes included the life of the new society, developing industries, plants under construction as well as sporting themes. Employing a terse, poster-like manner, they were able to convey the tempo of life, their paintings betraying the influence of constructivism and Expressionism. Some of them were very close to the *Neue Sachlichkeit* painters, others, like Deineka and Pimenov, relied on monumental forms, more suitable for representing events of historical significance, the music of Revolution, and History's spirit and rhythmus. The style of some of Leningrad painters (Alexander Samokhvalov, Nikolai Dormidontov,

Semion Pavlov and others) was close to that of the Easel Painters. Therefore, we can speak about a separate trend that existed in the 1920s and '30s and was characterized by devotion to contemporary theme and by striving to convey the "local colour" of the time.

Many artists, besides those of the Easel Painters group, were attracted by Expressionism (Alexander Drevin, Nadezhda Udaltsova, Mikhail Sokolov). Among them Drevin seems to be the most original; colour was the basis of his thinking, the sonority of its finest gradations became the chief element of Drevin's style.

In Russian art, Expressionism seems to have bifurcated into two separate trends. One of these is represented by paintings done in the style of pure Expressionism, ranging from figurative to abstract manner (Wasily Kandinsky). The other trend assumed the form of primitivism; it appeared after 1910 and was popular in the post-Revolutionary years.

In 1920 the New Society of Painters was established. The core of its programme was Primitivism finding its utmost expression in almost grotesque depiction of parvenues and new bureacracy. Such are, for instance, Yuri Shchukin's paintings with their absurdist interpretation of provincial Philistine milieu, wich resemble a terrible dream. In the early 1920s, Alexander Shevchenko returned to his neo-primitivist manner he had used round about 1910. His series of views of Batum, depicting the life of the picturesque town in the south of Russia, is full of mild humour and irony. Unlike the works of the New Society of Painters, Shevchenko's pictures are not satirical. They are harmonious and colourful. His well-meant banter does not stigmatize the society's pests. Alexander Tyshler represented another trend, akin to surrealism and very close to Expressionism and Primitivism. Phantasmagoric and unclear, with changeable focus of action and illogically linked elements, these paintings are indicative of a new way of thinking which, at the time, was typical of European art. Typologically absurdist, it had much in common with surrealism, which suggests that creative thought had shifted towards new, non-traditional forms.

Several artists stood aloof from other directions of Russian paintings. To them belongs, first and foremost, Pavel Filonov with his "analytical method" based on the assumption that society and art develop in accordance with the laws of nature. He transferred this property of reality to his art and, in his own words, he organized his compositions in conformity with the growth of a living organism. In Filonov's art, the world is represented as a set of symbols. His compositions consist of a variety of individual world making up a certain entity in which the author's notion of reality is concentrated. In this way, paintings could be reduced to definite formulas capable of symbolizing an idea.

An important figure in the art of the 1920s was Kuzma Petrov-Vodkin. Philosophical in nature, his paintings, like those by many of his contemporaries, focus on the problems of humaneness, the value of human life, the destiny of the Revolution and its attitude to the personality. Drawing on the tradition of icon painting, Petrov-Vodkin has created an interesting system of spherical perspective in which an action becomes a phenomenon of cosmic significance. Petrov-Vodkin's "three-colour system" allowed him to handle the colour symbolically, which gave his gamut some additional tones.

The Russian avant-garde occupies a special place in the history of Russian art. The Revolution proved conductive to its development. Kasimir Malevich, for instance, organized a school where he taught his method; his students then developed the system of Suprematism.

Woman painters played a very important role in avant-garde, e.g. Lyubov Popova, Nadezhda Udaltsova, Varvara Stepanova, Alexandra Exter. Their search in the sphere of non-figurative art resulted in painterly equivalents of such phenomena as time, motion, gravitation, and velocity. Solving the problems of special and colouristic arrangements, as well as those of texture and rhythm, they employed new approaches alien to traditional notions of painting.

The experiments of avant-garde painters found their way to many forms of art, e.g. design, polygraphy and architecture. Russian constructivists have contributed to the formation of new original styles, cf, for example, Malevich's architectones or furniture designs by Tatlin and Rodchenko. The role of abstract art in this process is obvious: it has manifested itself in architecture and applied arts (porcelain, consumer goods, textiles).

The artistic activities of the 1920s were concentrated around a variety of unions, each having a programme of its own. By the end of this period, the policy of the Ministry of Education had resulted in a controversy among various movements, some of them struggling for domination and trying to oust other trends from the scene. Avant-garde become severely criticized. The Decree of the Central Committee of Russian Communist (Bolshevist) Party (April 23, 1932) disbanded all the artistic unions, establishing, instead, the Union of Soviet Artists as the only organization of painters. The tendency towards true-to-life forms became predominant. The painters' endeavour became limited by the method forced upon them by the functioners. But the movement, once it arose, could not simply be put an end to; the idea of it was to reappear again and again.

ИЛЛЮСТРАЦИИ
PLATES

Кандинский Василий Васильевич. 1866—1944

Учился в школе А. Ашбе в Мюнхене в 1897—1898 гг. и в Королевской академии художеств у А. фон Штука там же в 1900 г. Член-учредитель объединений „Фаланга“ (1901), „Новое мюнхенское художественное общество“ (1909), „Синий всадник“ (1911), член „Бубнового валета“ с 1912 г. Экспонент „Мира искусства“, МТХ, „Союза молодежи“, участник выставок „Ослиный хвост“ (1912), „Венок“ („Стефанос“) (1908). Преподавал в ГСХМ в Москве в 1918—1921 гг., профессор; профессор Баухауза в Германии в 1922—1933 гг. (направлен в 1921 г. Наркомпросом). Член коллегии и Международного бюро отдела ИЗО Наркомпроса в 1918 г., директор Музея живописной культуры в 1919 г., член ИНХУК в 1920 г., вице-президент РАХН в 1921 г. Жил в Германии в 1897—1900, 1902—1914 и в 1921—1933 гг. В Париже в 1933—1944 гг. Живописец, график, теоретик искусства. Писал пейзажи, композиции с реминисценциями древнерусской живописи, но главным образом — абстрактные композиции. В раннем творчестве выполнял пейзажные импрессионистические этюды с интенсивным цветом, уже отрывающимся от реального мотива, от видимого в природе состояния. В 1910-е гг. ранние абстрактные полотна изобилуют кривыми линиями, вихревым движением, некоторые отдельные детали напоминают реальные формы („Синий гребень“, 1917; „Композиция №218“, 1918). Поздние работы более уравновешенны в композиционном построении, геометризованы. Идеи Кандинского, сформулированные им в теоретических трудах и проводимые в творческой практике, созвучны неокантианству (разделение явления и „вещи в себе“, понятие „ценность формы“), А. Бергсону (иррациональное начало творчества, в котором проявляются жизненная сила, опора на интуицию) и в связи с этим фрейдизму (изображенное в бессознательном состоянии — знаки душевной жизни творца).

1. В. В. Кандинский
Композиция №218. 1919

1. Vasily Kandinsky
Composition no. 218. 1919

Филонов Павел Николаевич.
1883—1941

Учился в живописно-малярных мастерских ОПХ, в студии Л. Е. Дмитриева-Кавказского в Петербурге в 1903—1908 гг., в Рисовальной школе ОПХ в 1898—1902 гг., в ВХУ при АХ у Я. Ф. Ционглинского в 1908—1910 гг. Член „Союза молодежи" в 1910—1913 гг. Возглавлял отдел общей идеологии Инхука с 1923 г. Обучал своему методу всех желающих. С 1925 г. группа учеников во главе с Филоновым именовалась „Мастера аналитического искусства".
Живописец, график, теоретик искусства, поэт. В 1910-е гг. выработал метод „аналитического искусства". По мысли Филонова, на всех уровнях мироздания с переменным успехом протекает борьба между духом и материей. Поражение духа приводит к неорганическому состоянию, распаду и хаосу. Победа — к „миро́вому расцвету", в возможность которого художник верил и начало его неоднократно изображал („Формула весны", 1928—1929).
„Ввод в миро́вый расцвет" осуществляется путем самосознания, что приводит к „становлению высшего психологического типа". Аналитическое искусство Филонов считал важнейшим средством достижения этой цели. Процесс создания картины от частного к общему, в которой, по словам Филонова, „упорно и точно нарисован каждый атом", из хаоса элементарных частиц, подобно зарождению жизни, организуется композиция, вырастают изобразительные формы: это путь самосовершенствования, и картина — след напряженной работы духа. Живопись способна, полагал художник, подключить к этому процессу зрителя. Человек, не стремящийся к духовному преображению, приобретает в картинах Филонова черты деградации, звероподобие, наконец, разлагается в неорганические структуры и далее — в хаос. „Живая голова" (1923), однако, тоже утрачивает предметность, растворяясь в потоке своего сознания. Концепция Филонова близка идеям русского космизма и преодоления смерти („Победа над вечностью", 1920—1921), высказанным А. В. Сухово-Кобылиным, Н. Ф. Федоровым, В. И. Вернадским и другими русскими мыслителями конца XIX — начала XX в., тесно соприкасаясь также с европейской традицией философии жизни. Манера Филонова эволюционировала от мирискуснической декоративной графичности и натурализма, близких И. И. Бродскому, до конструктивной предметности (начиная с 1910-х гг.), которая парадоксально сочеталась со стихией „атомизма", укладываясь на плоскость картины по воле автора, фиксирующего точечными касаниями кисти импульсы своего сознательного и бессознательного. В результате рождались символико-экспрессивные образы „движущейся Вселенной", отождествляемой с микроскосмом творца-художника. Живопись Филонова всегда несет трагическое напряжение становящегося духа, преодолевающего собственную ограниченность, пробивающегося через хаос к гармонии.

2. П. Н. Филонов
Формула весны. 1928—1929

2. Pavel Filonov
Formula of Spring. 1928—29

3. П.Н.Филонов
Белая картина. 1919

3. Pavel Filonov
White Picture. 1919

4. П.Н.Филонов
Победа над вечностью. 1920—1921

4. Pavel Filonov
Victory over Eternity. 1920—21

5. **П.Н.Филонов**
Живая голова. 1923

5. **Pavel Filonov**
Living Head. 1923

6. **П.Н.Филонов**
Человек в мире. 1925

6. **Pavel Filonov**
Man in the World. 1925

7. П.Н.Филонов
Нарвские ворота. 1929

7. Pavel Filonov
The Gate of Narva in Leningrad. 1929

8. П.Н.Филонов
Колхозник. 1931

8. Pavel Filonov
Collective Farmer. 1931

9. П.Н.Филонов
Животные. 1925—1926

9. Pavel Filonov
Animals. 1925—26

10. С.Л.Закликовская
Старый и новый быт. 1927

10. Sofya Zaklikovskaya
Old and New Ways. 1927

Закликовская Софья Людвиговна.
1899—1975

Училась в Псковском художественном училище с 1919 г., затем во ВХТУЗе — Вхутемасе—Вхутеине в Петрограде—Ленинграде у М. В. Матюшина в 1921—1926 гг., у П. Н. Филонова с 1925 г. Член группы МАИ в 1927—1932 гг. Занималась станковой и монументальной живописью, графикой и прикладным искусством. Картина „Старый и новый быт" (1927) — типичное произведение школы Филонова, представители которой никогда не достигали уровня учителя. На большом по размеру полотне размещено множество примет „старого", дореволюционного, быта, противопоставленного „новому", социалистическому. Группа рабочих на первом плане — создатели „нового быта", одновременно являющиеся объектами агитации и перевоспитания. Разнопространственные и разновременные эпизоды смонтированы в единую композицию, предметность не разрушена, хотя объемы и выписаны в „точечной" манере. Вместо богатства содержания и изощренной пластики произведений Филонова, черпающего из глубины иррационального, ищущего и каждый раз заново находящего способ „уловления" потока сознания кистью, в картине Закликовской зритель сталкивается с вульгаризацией метода — заданной как по своему агитационно-плакатному содержанию, так и по приему и довольно механистичной по исполнению живописью. Вместе с тем это произведение прекрасно передает дух времени, идеологию и художественные устремления 1920-х годов.

Купцов Василий Васильевич.
1899—1935

Учился в Псковской художественно-промышленной школе им. Н. Ф. Фан-дер-Флита в 1913—1918 гг., в Свободных художественно-технических мастерских (бывшее ЦУТР) в 1921 г., Вхутемасе—Вхутеине в Петрограде в 1922—1926 гг., а также у П. Н. Филонова. Член объединения „Круг художников" в 1926—1932 гг., входил в группу МАИ с 1925 г. Живописец и график. Одна из самых распространенных тем советской живописи 1920—1930-х гг. — изображение летательных аппаратов как символа технического прогресса, индустриальной мощи — соединяется в картине Купцова „АНТ-20" „Максим Горький" (1934) с не менее популярным сюжетом парадов и демонстраций, революционных празднеств. Под самолетом — центральная часть Ленинграда, Дворцовая площадь в праздничном убранстве, с колоннами демонстрантов, несущих транспаранты. Изображение мира если не с „космической", то по крайней мере с „атмосферной" точки зрения в какой-то мере созвучно учению Филонова, а „сделанность", позволяющая рассмотреть окна домов и фигурки демонстрантов, изображенных с высоты полета, свидетельствуют о следовании призыву Филонова „упорно и точно рисовать каждый атом", хотя и в несколько вульгаризированном по отношению к живописи учителя виде.

11. В.В.Купцов
АНТ-20 „Максим Горький". 1934

11. Vasily Kuptsov
The Maxim Gorky ANT-20 Plane. 1934

Евграфов Николай Иванович. 1904—1941

Учился в Нижегородских государственных свободных художественных мастерских в 1921—1923 гг., в Художественно-промышленном техникуме в Петрограде—Ленинграде в 1923—1927 гг., затем в ИНПИИ—ИЖСА ВАХ. Практикант формально- теоретического отдела ГИНХУКа в 1924 г. Ученик и последователь П. Н. Филонова, член МАИ в 1925—1932 гг.
В творчестве Евграфова реализовались разнообразные возможности „аналитического искусства" как изобразительное, так и абстрактное его направления. В отличие от других членов МАИ, для которых живопись в соответствии с установкой Филонова была всего лишь раскрашенным рисунком, более внимательно относился к проблемам колорита, что сближает его, особенно в вариантах „Карнавала" (1938—1940), с учениками М. В. Матюшина, прежде всего со специалистом по цветоведению Б. В. Эндером.

12. Н.И.Евграфов
Карнавал. 1938—1940

12. Nikolai Yevgrafov
Festival. 1938

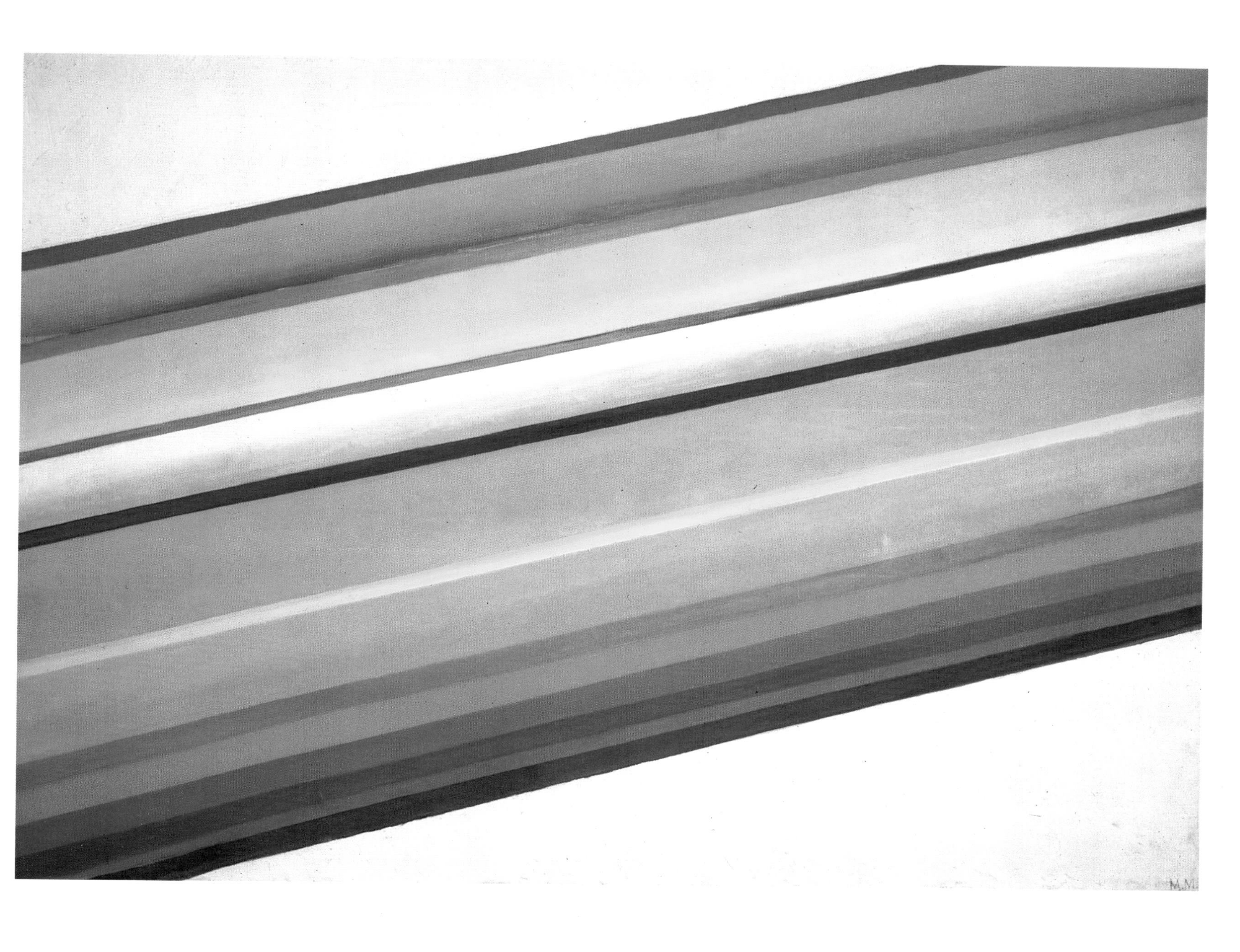

Матюшин Михаил Васильевич.
1861—1934

Учился в Рисовальной школе ОПХ в 1894—1898 гг., ВХУ при АХ у Я. Ф. Ционглинского в 1902—1905 гг., в художественной школе Е. Н. Званцевой у М. В. Добужинского и Л. О. Бакста в Петербурге в 1906—1907 гг. Участник выставки „Треугольник" в 1909 г., член-учредитель „Союза молодежи" в 1910—1914 гг. Преподавал в ПГСХУМ—Вхутеине в Петрограде—Ленинграде в 1918—1926 гг., возглавлял отдел органической культуры Инхука в 1924—1927 гг. Живописец, теоретик (занимался проблемами цветоведения, автор концепции „широкого видения"), композитор (автор оперы „Победа над солнцем", 1913), Как и многие его современники, верил в возможность формирования нового, совершенного человека, видя совершенство в „цельности", а путь к ней — в развитии всех „воспринимающих способностей". Идея „расширенного смотрения" приводила к созданию „синтетических" образов мира, таких как „Движение в пространстве" (1922 ?).

13. М.В.Матюшин
Движение в пространстве. 1922 (?)

13. Mikhail Matyushin
Notion in Space. 1922(2)

**Эндер Борис Владимирович.
1893—1960**

Учился в ПГСХУМ у М. В. Матюшина, К. С. Петрова-Водкина, К. С. Малевича в 1918—1922 гг. Испытал влияние Е. Г. Гуро, но определяющим было воздействие М. В. Матюшина, под руководством которого Эндер работал в отделе органической культуры ГИНХУКа в Ленинграде в 1923—1927 гг. С деятельностью этого отдела связан ряд ранних произведений художника, названных им „Краски природы". Живописные работы (масло, акварель) конца 1920-х — начала 1930-х годов более „реалистичны", некоторые написаны с натуры, однако и в них Эндер стремился соединить с пленэром свои находки в области цветоведения и усвоенное от Матюшина „широкое видение". Один из авторов „Справочника по цвету" (1932), с 1930-х годов Эндер консультировал архитекторов по вопросам цветового оформления зданий, в 1930—1931 гг. работал над проблемами окраски зданий Москвы в Малярстрое совместно с Г. Шеннером из Баухауза, был автором колористического решения (вместе с Н. И. Суетиным) павильонов на международных выставках в Париже (1937) и Нью-Йорке (1939).
„Композиция (Краски природы)" (1921—1922) — одно из ранних и вместе с тем значительных произведений художника. Словесной параллелью изображению может послужить высказывание Эндера из лекции по цветоведению, читанной им в 1936 г.: „Пусть цвет работает с нами, как все стихии природы. Сами по себе цвета не должны быть яркими и назойливыми, но они могут быть расположены так, чтобы один оживал от другого, и декоративная сражающая яркость была заменена ярким впечатлением. Если дать волю глазу, он найдет нужный цвет и расположит цвета в плоскости или пространстве. И это расположение никогда не будет совпадать с механической слагательной композицией".

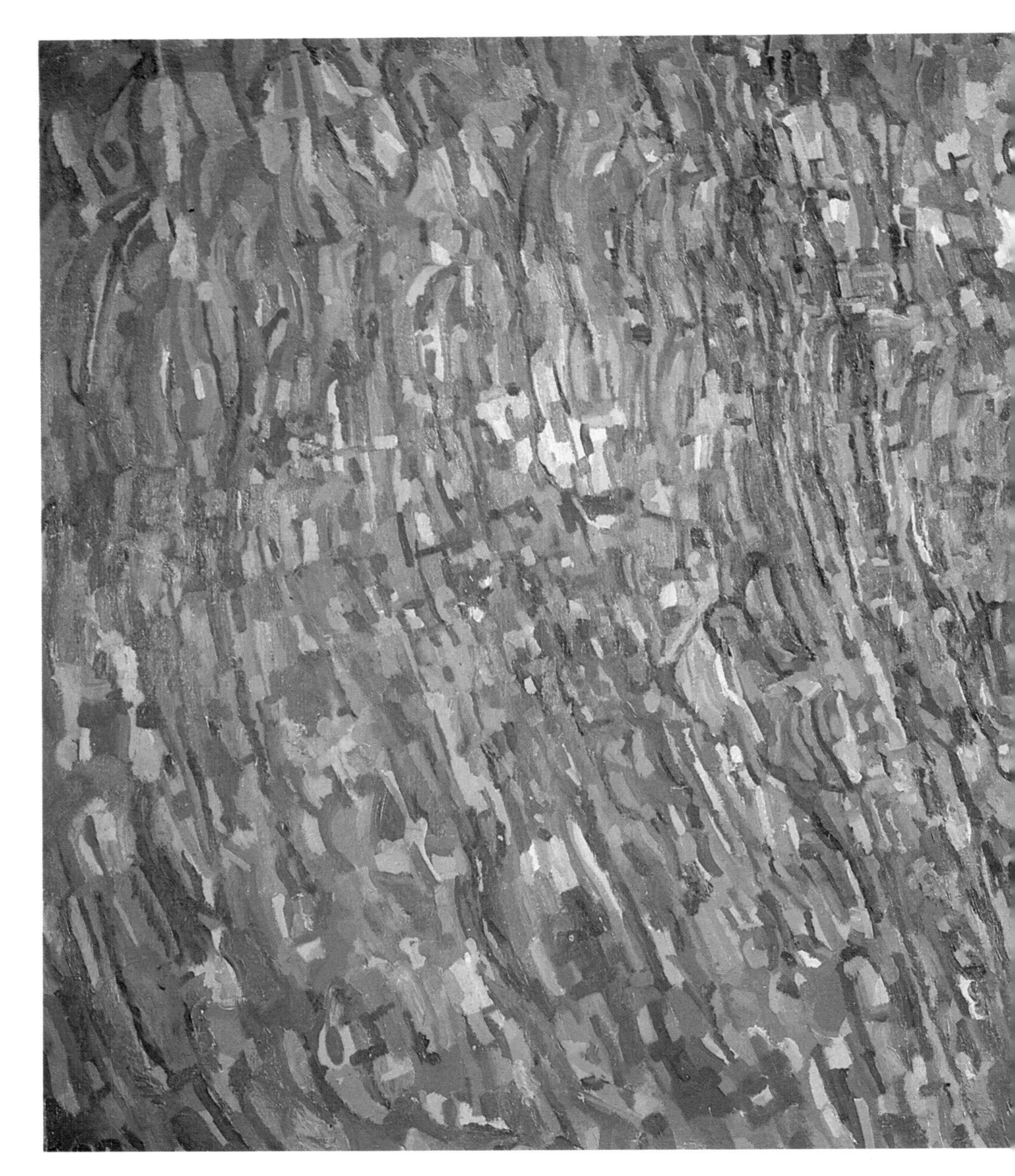

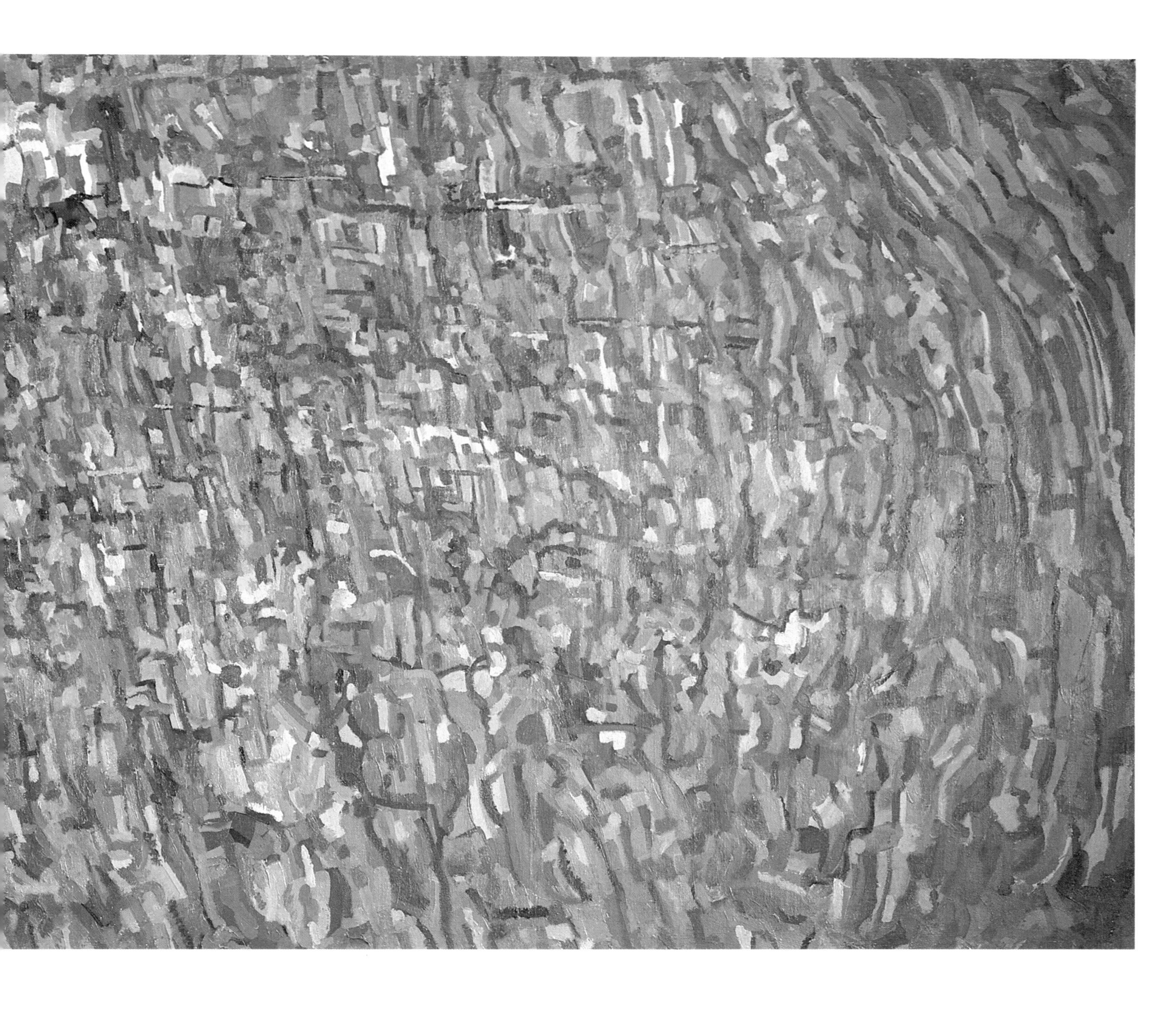

14. Б.В.Эндер
Композиция (Краски природы). 1921—1922

14. Boris Ender
Composition. 1921—22

15. К.С.Малевич
Крестьянин. 1928—1932

15. Kazimir Malevich
Peasant. 1928—32

Малевич Казимир Северинович.
1878—1935

Учился в Киевской художественной школе в 1895—1896 гг., в МУЖВЗ в 1904—1905 гг., в студии Ф. И. Рерберга в Москве в 1905—1910 гг. Участник выставок „Венок" („Стефанос") (1908), „Ослиный хвост" (1912), „Мишень" (1913), „Трамвай В" (1915), „0,10" в 1915—1916 гг. Член объединений „Бубновый валет" (1910), „Союз молодежи" (1913), Объединения левых течений в искусстве (1922), УНОВИС (1920). Преподавал в ГСХМ в Москве в 1919 г., руководил Витебским художественно-практическим институтом в 1919—1921 гг. Преподавал в ПГСХУМ в 1918 г., профессор. Член Петроградской коллегии и Международного бюро отдела ИЗО Наркомпроса (1918), директор ГИНХУК 1923—1926.
Занимался станковой, монументальной и театрально-декорационной живописью, книжной иллюстрацией, прикладным искусством, оформлением массовых праздников. Теоретик, автор ряда брошюр по проблемам современного искусства. В ранний период работал в импрессионистической манере, близкой П. Боннару, но вялой по композиции и цвету („Цветочница", 1903). На рубеже 1900-х — 1910-х гг. создавал кубофутуристические композиции (фигуры в пейзаже), строя объемы из простейших форм, упрощая и делая контрастным цветовое решение, широко применял черную краску в целях ритмической организации плоскости. В 1910-е гг. обосновал теоретически и практически собственный вариант абстрактного искусства — супрематизм, в стилистическом отношении представляющий собой ритмическое расположение на плоскости простых геометрических фигур локального цвета. Утверждал, что существует пять живописных систем: импрессионизм, сезаннизм, кубизм, футуризм и супрематизм, тесно между собой взаимосвязанных и посредством „прибавочного элемента" переходящих одна в другую. Своего рода манифестом супрематизма стал „Черный квадрат" (1913). Малевич стремился подняться над случайностью и ограниченностью субъективизма и индивидуализма в искусстве к чисто пластическому формотворчеству, к сотворчеству с природой, аналогичному вселенскому масштабу — к изображению действительности в ее сущностных категориях — движении и статики материи. В известной мере эти идеи связаны с философской традицией „русского космизма". В 1920-е гг. формотворчество Малевича перешло от живописи, как и у В. Е. Татлина, на трехмерные объекты. Малевич создавал „ архитектоны", родственные произведениям конструктивизма в архитектуре — комбинации параллелепипедов и цилиндров, ставшие моделями его работ в дизайне. В 1930-е гг. художник вновь возвращается к живописи, написав ряд произведений, в которых изобразительное начало соединяется с супрематическими принципами („Крестьянин", 1928—1932; „Красный дом", 1932).

16. К. С. Малевич
Красный дом. 1932

16. Kazimir Malevich
Red House. 1932

Попова Любовь Сергеевна.
1889—1924

Училась в школе К. Ф. Юона и И. О. Дудина в Москве в 1907—1909 гг. Работала в различных московских студиях без руководителя совместно с В. Е. Татлиным, Н. А. Удальцовой и В. Е. Пестель в 1911—1913 гг. Занималась в Париже в Академии де ла Палет у А. Ле Фоконье, Метценже, Сегонзака в 1912—1913 гг. Участник объединений и выставок „Бубновый валет", „Супремус", „Трамвай В", „0,10", „Магазин", „5×5 = 25". Преподавала во Вхутемасе в Москве в 1920 г., вела там же курс вещественного оформления спектакля с 1921 г., работала в Инхуке. Посетила в 1910 и 1914 гг. Италию, в 1912—1913 гг. Париж.
Занималась живописью, прикладным и театрально-декорационным искусством. Испытала влияние В. Е. Татлина, увлекалась французским кубизмом и итальянским футуризмом (сильное впечатление на нее произвела выставка У. Боччиони в Париже). В 1915 г. создавала живописные рельефы, родственные „контррельефам" Татлина. В 1915–1918 гг. разрабатывала созданный ею тип „живописных архитектоник", представляющий собой композиционное „динамическое равновесие" прямоугольных геометрических элементов. На рубеже 1910-х — 1920-х гг. перешла к другому типу композиций — „пространственно-силовым построениям", в которых преобладают криволинейные, спиралевидные линии, кинетическое начало доминирует над статическим. В 1921 г. почти исключительно занималась художественным конструированием. При том что Попова — один из бесспорных лидеров авангарда, последовательно проходившая стадии импрессионизма, символизма, кубизма, супрематизма, вплоть до производственного искусства, конструктивизма, она осталась верна своим ранним итальянским впечатлениям, преклонению перед искусством Джотто, кватроченто и во всех своих самых „модернистских" работах достигала классической ясности, пластической выверенности художественной формы („Живописная архитектоника", конец 1910-х гг.).

17. Л. С. Попова
Живописная архитектоника. Конец 1910-х г.

17. Lyubov Popova
Painterly Architectonics. Undated

Экстер Александра Александровна. 1882—1949

Училась в Киевском художественном училище в 1901—1903 гг. и в 1906 г., в Академии Гранд Шомьер в Париже у К. Дельваля в 1908 г. Посетила Италию в 1910-е гг. Участвовала в выставках „Союза молодежи", „Бубнового валета", а также „Ослиный хвост" (1910-е гг.), выставлялась с конструктивистами в 1920 г. Преподавала в собственной студии в Киеве в 1918—1920 гг., во Вхутемасе в Москве в 1921—1922 гг., в Академии современного искусства Ф. Леже и собственной студии в Париже в 1925—1930 гг. С 1923 г. жила за границей, преимущественно во Франции. Занималась станковой (натюрморт, пейзажи, бытовые и мифологические картины) и театрально-декорационной живописью, делала эскизы костюмов и росписей по ткани. В творчестве Экстер преломились черты кубизма, футуризма, неопримитивизма, конструктивизма. Полотна художницы отличаются энергичной, активной ритмической организацией („Конструктивный натюрморт", 1917).

18. А. А. Экстер
Конструктивный натюрморт. 1917

18. Alexandra Exter
Constructivist Still Life. 1917

19. А.М.Родченко
Белый круг. 1918

19. Alexander Rodchenko
White Circle. 1918

Родченко Александр Михайлович. 1891—1956

Учился в Казанской художественной школе у Н. И. Фешина в 1910—1914 гг., в СЦХПУ в 1914—1916 гг. Член ОБМОХУ в 1920—1921 гг., ЛЕФ в 1922—1929 гг., „Октября“ в 1928—1932 гг., экспонент выставок „Магазин“ (1916), „5 × 5 = 25“ (1920) и других. Преподавал во Вхутемасе—Вхутеине в Москве в 1920—1930 гг. (один из организаторов производственных факультетов). Член коллегии ИЗО Наркомпроса (1918). С 1920 г. — член, с 1921 г. преподаватель ИНХУКа. Один из основоположников советского дизайна (удостоен четырех серебряных медалей Международной выставки декоративного искусства в Париже в 1925 г.). Занимался художественной фотографией (используя в ней достижения новейших течений живописи), станковой живописью (беспредметные композиции), оформлением книг. В его творчестве сложились принципы конструктивизма. В какой бы области искусства ни работал Родченко, его произведения отличаются лаконизмом и остротой композиционных решений, неожиданностью ракурсов, рационализмом и конструктивностью („Супрематизм“, б.г.).

20. А.М. Родченко
Супрематизм. Б.г.

20. Alexander Rodchenko
Suprematism. Undated

Стенберг Георгий Августович.
1900—1933

Учился в СЦХПУ в 1912—1917 гг., в ГСХМ в 1917—1920 гг. Член ОБМОХУ в 1919—1921 гг., ИНХУКа с 1920 г. Участник выставки „Конструктивизм" (1921), первой дискуссионной выставки объединений активного революционного искусства (группа „конструктивистов", 1924 г.).
Занимался живописью, станковой графикой и киноплакатом, дизайном, оформлением массовых революционных празднеств в Москве. В 1920-х гг. совместно с В. А. Стенбергом и К. К. Медунецким работал над эскизами костюмов и декораций для постановок А. Я. Таирова в Камерном театре. В 1929—1932 гг. преподавал в МАСИ. „Подъемный кран" (1920) — пример изобразительного воплощения стилистики конструктивизма. В ритмическое решение композиции, линеарной и плоскостной, очень умеренно вводятся узнаваемые элементы действительности — фигурки людей и детали механизмов, причем созданные как бы из единой „материи".

21. Г. А. Стенберг
Подъемный кран. 1920

21. Georgy Stenberg
Crane. 1920

Медунецкий
Константин (Казимир) Константинович.
1899—1935

Учился в СЦХПУ в 1914—1917 гг., в ГСХМ в Москве в 1917—1920 гг. Член ОБМОХУ в 1919—1921 гг. Участник Первой дискуссионной выставки объединений активного революционного искусства (группа „конструктивистов“, 1924), выставки „Конструктивизм“ в 1921 г., член ИНХУКа с 1920 г.
Занимался станковой живописью, графикой, дизайном. В 1920-х гг., совместно с В. А. и Г. А. Стенбергами, работал над эскизами костюмов и декораций для постановок А. Я. Таирова в Камерном театре („Федра“ Ж. Расина, „Гроза“ А. Н. Островского и другие). В „конструктивизме“ Медунецкого, как и Стенбергов, большую роль играет колорит, построенный на сближенных тонах с большим удельным весом нейтрального серого цвета, а также подчеркнуто плоскостное композиционное решение („Цветоконструкция“, 1920).

22. К. К. Медунецкий
Цветоконструкция. 1920

22. Konstantin Medunetsky
Design in Colours. 1920

Пуни Иван Альбертович (Жан).
1884—1956

Учился в Петербурге в 1900—1908 гг., в Академии Р. Жюльена в Париже в 1910—1912 гг. Экспонент „Союза молодежи" в 1912—1914 гг., „Бубнового валета" (1917), выставок „Трамвай В" (1915), „0,10" (1915—1916) и других. Преподавал в ПГСХУМ в 1918 г., в Витебском художественно-практическом институте в 1919 г. Жил в Берлине с 1920 г., в Париже с 1924 г. Произведения 1910-х гг. отмечены увлечением кубизмом. Один из зачинателей супрематизма, Пуни, написавший ряд натюрмортов, в которых изображение предмета сводится к знаку („Натюрморт. Красная скрипка", 1919) и нередко компонуется с буквами, получил последователя в лице Н. И. Альтмана.

23. И. А. Пуни. *Натюрморт Красная скрипка. 1919*

23. Ivan Puni. *Still Life Red Violin. 1919*

Альтман Натан Исаевич.
1889—1970

Заслуженный деятель искусств РСФСР (1965), заслуженный художник РСФСР (1968), член-корреспондент Академии искусств ГДР (1970). Учился в Одесском художественном училище на живописном отделении у К. К. Костанди и Г. А. Ладыженского и там же на скульптурном отделении у Л. Д. Иорини в 1902—1907 гг., в Свободной русской академии М. Васильевой в Париже в 1910—1911 гг. Участник выставок ТЮРХ, Салона национального общества изящных искусств, „Бубнового валета" в 1910-е гг. Член „Союза молодежи" (1913). Преподавал в частной школе М. Д. Бернштейна в Петербурге в 1915—1916 гг., в ПГСХУМ в 1918—1921 гг., комиссар ПГСХУМ в 1918 г. Жил в Париже в 1910—1911 и в 1928—1935 гг.
Участвовал в оформлении революционных праздников в Петрограде в 1918 г. и Москве в 1921—1923 гг., работал в области скульптуры, выступал как художник кино и театра. Автор рисунков для изделий из фарфора, почтовых марок, иллюстраций. Писал портреты, натюрморты, беспредметные композиции. Для данного периода характерно использование приемов кубизма, своего рода „подкубливание", приводящее нередко к несколько манерной стилизации (портрет А. А. Ахматовой, „Пейзаж", оба 1914 г.). В ряде работ 1910—1920-х гг. (портреты и натюрморты) приближался к стилистике неоакадемизма, граничащей с „новой вещественностью". В целом для живописи Альтмана характерна графичность манеры, явное преобладание в ней элементов рисунка. Полотно „Петрокоммуна" (1921) отражает обычное в первые послереволюционные годы стремление художников использовать достижения живописи авангарда для создания искусства социалистического государства. В нем заметны приемы позднего „синтетического" кубизма и супрематизма — декоративность, плоскостность решения, включение в живописно-ритмическую ткань слов и аббревиатур (Петрокоммуна, РСФСР), нетрадиционных материалов (эмаль), внимание к фактуре. Художник стремится создать выразительный, воздействующий непосредственно на эмоции образ, который как бы „озвучивает" введенные в композицию слова.

24. Н. И. Альтман
Петрокоммуна. 1921

24. Nathan Altman
Commune of Petrograd. 1921

Чеботарев Константин Константинович.
1892—1974

Учился в Казанской художественной школе у Н. И. Фешина в 1910—1917 гг., в Казанском художественно-техническом институте в 1918—1922 гг., преподавал там же в 1921—1926 гг. и Казанском татарском театральном техникуме в 1923—1926 гг. Член казанского творческого коллектива графиков „Всадник“ в 1917—1926 гг., организатор и руководитель объединения казанских художников „Подсолнечник“ (1918). Работал в „Окнах ТАСС“ в 1940-е гг. Экспонент ТатЛЕФа (1925). Жил в Москве с 1926 г., работал художником московского ТЮЗа в 1927—1930 гг., Московского государственного рабочего театра (1930).
Занимался станковой и монументальной живописью, станковой графикой (линогравюра, офорт, сухая игла), плакатом, сатирической графикой, оформлял и иллюстрировал книги, сотрудничал в журналах. Писал пейзажи, портреты, картины на историко-революционную тему. Тяготел к монументализации и экспрессии образов, в раннем творчестве нередко использовал декоративно-плоскостное решение, колорит строил на локальных пятнах цвета („Красная Армия“ („Марсельеза“), 1917). Изобразительный язык в 1930-е гг. становится более „предметным“, с интересом к передаче объема, при этом угловатой „огранкой“ его.
В 1940—1970-е гг. написал серии гуашей, включающих как камерные этюдные мотивы („Железные печки“, „Казань — любимый город“, „Я люблю каждый день жизни“), так и тяготеющие к символической образности („Подсолнечники“, серия монотипий). Изображенная на портрете А. Г. Платунова (род. 1896 г.) окончила в 1922 г. Казанский художественно-технический институт. Автор гравюр, плакатов, лубков, серий живописных миниатюр, иллюстраций для книг и журналов. Композиционные и стилистические особенности этой работы Чеботарева сближают ее с „Портретом фотографа М. А. Шерлинга“ Ю. П. Анненкова — та же геометризация формы, загруженность фона, сочетание объемного изображения головы и профильного силуэта — тени.

25. ***К. К. Чеботарев***
Красная Армия („Марсельеза“). 1917

25. ***Konstantin Chebotaryov***
Red Army (Marseillais). 1917

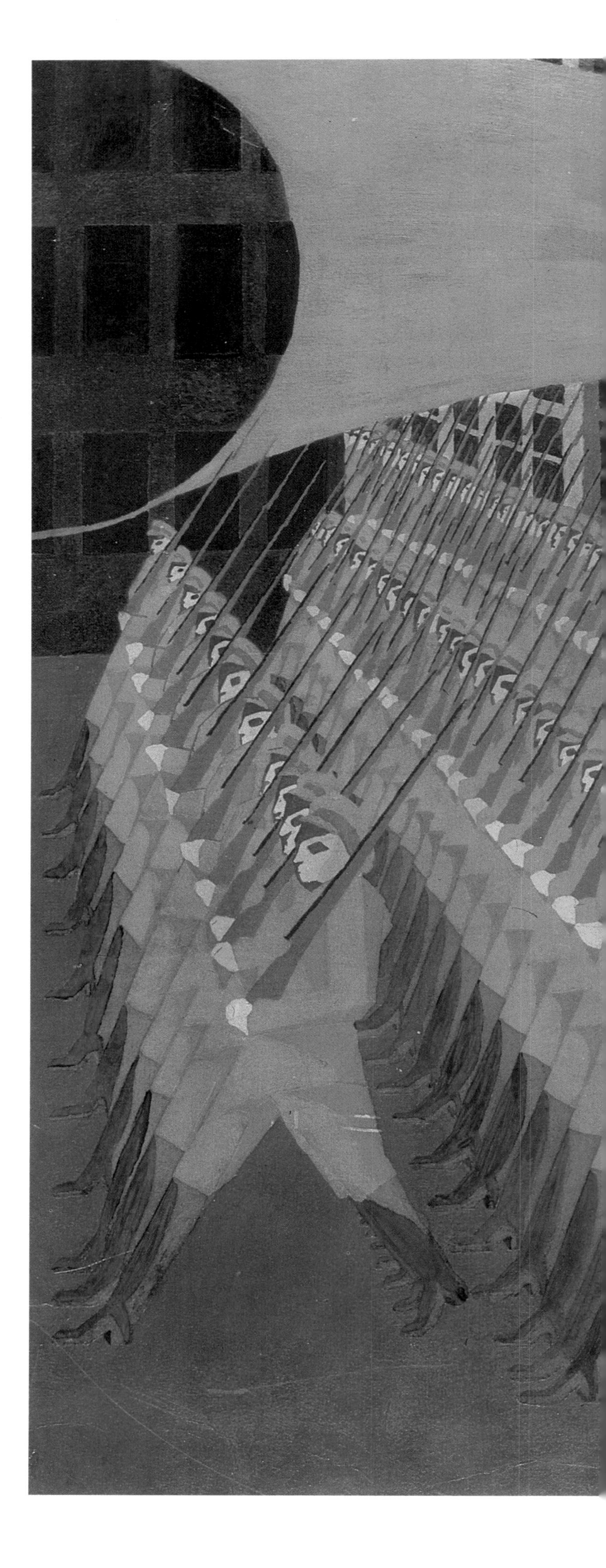

26. К.К. Чеботарев
Портрет А. Г. Платуновой — жены и друга художника
1933

26. Konstantin Chebotaryov
Portrait of A. G. Platunova, the Artist's Wife and Friend
1933

Бурлюк Давид Давидович.
1882—1967

Учился в Казанской художественной школе в 1898—1899 гг. и в 1901 г., в Одесском художественном училище в 1899—1900 гг. и в 1909 г., в Королевской академии в Мюнхене в 1902—1903 гг., в студии Ф. Кормона в Париже в 1904 г., в МУЖВЗ в 1910—1914 гг. Член-учредитель „Бубнового валета“, участник „Союза молодежи“.
Центральная фигура русского авангарда, Бурлюк в меньшей степени, чем его товарищи, был „смутьяном холста“, больше расходуя свою энергию на организационную деятельность и эпатажные выступления в печати, на диспутах, лекциях на темы современного искусства, борьбу с салонным искусством и расхожими эстетическими представлениями. Писал пейзажи и портреты, показывая себя не исследователем и открывателем, а скорее популяризатором новых путей в искусстве. Экстравагантная деформация натуры или преувеличенная фактурность живописи иногда уступали место довольно традиционно трактованным этюдам, свидетельствуя о том, что Бурлюк не придерживался строго какой-либо системы в своем творчестве.
На портрете 1917 г. изображен Василий Васильевич Каменский (1884—1961) — поэт-футурист, организационно связанный с Бурлюком и родственный ему тягой к новому в искусстве, упоением молодечеством, удалью, что особенно проявилось в поэме „Сердце народное — Стенька Разин“ (1918). Каменский был также летчиком, актером; в 1905 г. участвовал в революционном движении. Созданный Бурлюком „лик“ поэта повествователен: изображение и тексты, помещенные на фоне, говорят о характере и многогранной деятельности персонажа.

27. Д. Д. Бурлюк
Портрет поэта-футуриста В. А. Каменского. 1917

27. David Burlyuk
Portrait of the Futurist Poet Vasily Kamensky. 1917

Григорьев Борис Дмитриевич. 1886—1939

Учился в СЦХПУ в Москве у Д. А. Щербиновского в 1903—1907 гг., в ВХУ при АХ у Д. Н. Кардовского и А. А. Киселева в 1907—1912 гг. Член „Мира искусства" в 1913—1919 гг., экспонент Товарищества независимых. Посетил Париж в 1912–1914 гг. С 1919 г. жил во Франции. Работал в основном как график-станковист, а также иллюстратор. Создал ряд графических серий („Женщина", 1912—1914 гг.; „Расея", 1917—1919 гг. и др), темы и образность которых отразились и в его сравнительно немногочисленных живописных работах. Писал пейзажи, портреты, жанровые сцены, создавая театрализованный, полуфантастический мир, подобный миру С. Ю. Судейкина. Стилистику Григорьева отличают виртуозный, острый рисунок, некоторая шаржированность образов. Композиция, в которой соединены портрет, пейзаж и бытовой жанр, что позволяет особенно полно выразить тему, нередко встречается в искусстве начала XX в. — времени реформации жанровой системы. Крестьянская девочка, изображенная на фоне избы, вопросительно смотрит с холста, передавая через годы и десятилетия ощущение тревожного времени, взволновавшего и русскую глубинку („Девочка с бидоном", 1917).

28. Б.Д.Григоръев
Девочка с бидоном. 1917

28. Boris Grigoryev
Girl with a Can. 1917

Анненков Юрий Павлович.
1889—1974

Учился в мастерской С. М. Зейденберга в Петербурге в 1908—1909 гг., в школе-студии Я. Ф. Ционглинского в Петербурге в 1909—1910 гг., в ЦУТР в 1909—1911 гг., в частной студии в Париже у М. Дени и Ф. Валлотона в 1911—1912 гг. Экспонент „Союза молодежи" в 1910-е гг. Преподавал в ПГСХУМ в 1918 г. Жил в Париже с 1924 г.
Участвовал в оформлении массовых театрализованных зрелищ в Петрограде. В 1921 г. работал как художник театра и кино, создавал книжные иллюстрации, произведения станковой графики и живописи, преимущественно портреты и беспредметные композиции. Его портреты с характерным заострением формы, „подкубливанием", усвоенным как декоративный прием, но в отдельных работах позволяющим достичь художнику выразительности образа, сродни работам Б. Д. Григорьева. Меткую характеристику творчества и личности Анненкова дал в своих дневниках знавший его по Парижу художник К. Н. Редько: „Ю. П. Анненков — имитатор на все способы [. . .] Он принадлежит к типу людей, умеющих прекрасно использовать все то, что появилось в достижениях других, которым дано только находить. Его рисунок сух, виртуозен, внешний и поэтому бедный. Конечно, он не лишен меткости выражения, но в этом отсутствует фантазия — основа индивидуальной силы, яркого, самого чистейшего поэтического чувства".
График по преимуществу, Анненков и в живописных произведениях больше внимания уделяет рисунку. В портрете фотографа М. А. Шерлинга (1918) традиционно, даже академически — сродни школе Д. Н. Кардовского — трактован персонаж, что сочетается, однако, с „некоторым заскоком в левизну" (слова А. А. Рылова), особенно в изображении аксессуаров — элементов парижского пейзажа, свидетельствующих о причастности как художника, так и портретируемого к веяниям, исходящим из тогдашнего центра европейского искусства.

29. Ю. П. Анненков
Портрет фотографа-художника М. А. Шерлинга. 1918

29. Yuri Annenkov
Portrait of the Artist-Photographer M. Scherling. 1918

Баранов-Россинэ
Владимир Давидович.
1888—1942

Учился в ВХУ при АХ в 1903—1907 гг. Участвовал в выставке „Венок" („Стефанос") (1903), в выставках объединения „Мир искусства" (1918) и других. Преподавал в ПГСХУМ в 1918 г. Устраивал цветомузыкальные представления в Большом театре и в театре В. С. Мейерхольда в Москве. Выступал также как художественный критик. По свидетельству современников, отличался высокой культурой и тонким вкусом. Работал в Париже в 1910—1914 гг., в Норвегии в 1915—1917 гг. Эмигрировал во Францию в 1920-е гг. В живописи заметно влияние искусства интернациональной „парижской школы". На портрете, являющем собой характерный пример „салонизации" в авангарде, изображен пейзажист Иван Федорович Колесников (1887— ?).

30. В. Д. Баранов-Россинэ
Портрет художника И. Ф. Колесникова. 1919 (?)

30. Vladimir Baranov-Rossine
Portrait of the Painter Ivan Kolesnikov. 1919 (?)

Шагал Марк Захарович.
1887—1985

Учился у Ю. М. Пэна в Витебске в 1906 г., в Рисовальной школе ОПХ в 1907—1908 гг., занимался в мастерской С. М. Зейденберга в 1908 г., учился в школе Е. Н. Званцевой в Петербурге у Л. С. Бакста и М. В. Добужинского в 1908—1910 гг. Работал в Париже в 1910—1914 гг. Участник выставок и объединений „Мир искусства" (1912), „Ослиный хвост" (1912), „Мишень" (1913), „Бубновый валет" (1916). Выставлялся также в Германии и Франции в 1910-е гг. Преподавал в основанной им художественной школе в Витебске в 1918 г. За границей с 1922 г. Писал жанровые картины и „картины-видения", портреты, пейзажи, интерьеры, натюрморты. Работал в области станковой и книжной графики, монументальной и декоративной живописи, прикладного искусства, скульптуры, театрально-декорационной живописи. Мотивы и образы народного искусства, фольклор соединял с ярко выраженным личностным, субъективным началом („Прогулка", 1917). Основная тема творчества 1910–1920-х гг. — воспоминания о Витебске. В ряде произведений этого периода явственно чувствуется трагизм.

31. М. З. Шагал
Прогулка. 1917

31. Marc Chagall
Promenade. 1917

Удальцова Надежда Андреевна.
1886—1961

Училась в художественной школе К. Ф. Юона и И. О. Дудина в Москве в 1906—1907 гг., школе Н. П. Ульянова, в студии К. Ф. Юона у К. Э. Киша (ученик Ш. Холлоши) в 1909 г., в Париже в Академии де Ла Палет у А. Ле Фоконье, Г. Метценже, А. Дюнуайе де Сегонзака в 1912—1913 гг. Работала в студии В. Е. Татлина вместе с Л. С. Поповой, В. М. Ходасевич, Р. Р. Фальком, А. А. Весниным в 1913 г. Преподавала в ГСХМ—Вхутемасе—Вхутеине в Москве в 1918—1930 гг., профессор, а также в Московском текстильном институте в 1932—1934 гг., МПИ в 1930-е гг. Член „Бубнового валета" с 1914 г., объединений „Московские живописцы", „Тринадцать", экспонент петроградских выставок „Левые течения" (1915), „Трамвай В" (1915), „0,10" в 1915—1916 гг. Работала в московском Пролеткульте, член коллегии ИЗО Наркомпроса, ИНХУКа с 1921 г.
Писала портреты, пейзажи, натюрморты, жанровые полотна. В раннем творчестве испытала влияние кубизма („Натюрморт", 1919), позже стремилась к непосредственности в трактовке натуры, освоению новой темы.

32. Н. А. Удальцова
Натюрморт. 1919

32. Nadezda Udaltsova
Still Life. 1919

33. А.В.Шевченко
Город. 1919

33. Alexander Shevchenko
Town. 1919

Лентулов Аристарх Васильевич.
1882—1948

Учился в Пензенском художественном училище у К. А. Савицкого в 1898—1900 гг. и у Н. Д. Селиверстова там же в 1905 г., в Киевском художественном училище у Н. К. Пимоненко в 1900—1904 гг., у Д. Н. Кардовского в частных студиях Москвы и Петербурга в 1906—1910 гг., в Академии де ла Палет у А. Ле Фоконье в Париже в 1911 г. Член-учредитель объединения „Бубновый валет" (1910), экспонент „Мира искусства", выставки „Венок" („Стефанос") (1908), член АХРР в 1926—1928 гг., член-учредитель и председатель ОМХ с 1928 г. Преподавал в ГСХМ—Вхутемасе—Вхутеине в Москве, профессор с 1919 г., МИИИ — МГХИ в 1937—1943 гг. Занимался станковой, монументальной и театрально–декорационной живописью, графикой (рисунок и акварель). Писал портреты, пейзажи, в том числе индустриальные, натюрморты, ню.
Испытал влияние парижской школы, в частности, Ле Фоконье. Опираясь на открытия кубизма, футуризма, орфизма, используя приемы лубка и иконописи, мотивы древнерусского зодчества, выработал в 1910-е гг. собственную манеру, экспрессивно-декоративную, динамичную („Пейзаж с желтыми воротами", 1920—1922). Работая с 1913 г. в Камерном театре А. Я. Таирова, написал серию портретов актеров. С 1920-х гг. обращается к этюдной натурной живописи, создавая полотна, полные солнца, очень активные по цвету, но иногда вялые по композиции. Пишет много индустриальных пейзажей, видов Москвы и Крыма, портретов и натюрмортов в пейзаже, утвердив в советской живописи эту жанровую разновидность.

*34. **А. В. Лентулов***
Пейзаж с желтыми воротами. 1920—1922

*34. **Aristarkh Lentulov***
Landscape with a Yellow Gate. 1920—22

35. *А.В.Лентулов*
Две женщины. 1919

35. *Aristarkh Lentulov*
Two Women. 1919

Куприн Александр Васильевич.
1880—1960

Заслуженный деятель искусств РСФСР (1956), член-корреспондент АХ СССР (1954).
Учился в студии Л. Е. Дмитриева–Кавказского в Петербурге в 1902—1904 гг., в студии К. Ф. Юона и И. О. Дудина в Москве в 1904—1905 гг., в МУЖВЗ у Н. А. Касаткина, А. Е. Архипова, Л. О. Пастернака, К. А. Коровина в 1906—1910 гг.
Один из учредителей объединения „Бубновый валет“ в 1910 г., член обществ „Московские живописцы“ (1925), „Бытие“ (1926), ОМХ в 1928—1932 гг. Преподавал в ГСХМ в Москве в 1918—1920 гг., в Нижегородских и Сормовских государственных свободных художественных мастерских в 1920—1922 гг., Вхутемасе—Вхутеине в Москве в 1922—1930 гг., профессор с 1924 г., в Московском текстильном институте в 1931—1939 гг., в МВХПУ в 1946—1952 гг. (заведующий кафедрой живописи).
Писал пейзажи и натюрморты. В раннем творчестве пейзаж преимущественно архитектурный, — живопись Куприна предметна („Сокольники. Каланча“, 1919), позже, при движении к пленэру, архитектурные мотивы остаются в индустриальных и крымских пейзажах, но появляются и чисто ландшафтные мотивы. В 1910-е гг., находясь под влиянием П. Сезанна и раннего кубизма, организует плоскость, деформируя предметы ради подчинения их ритму целого, подчеркивая их архитектонику („Розовые, лиловые и черные цветы на розовом фоне“, 1926). Широко применяет черную краску, делает осязаемым все, в том числе и фон, которым в пейзаже служит небо. Никакой световоздушной среды (до 1920-х гг.). Колорит — декоративно-плоскостный, но не локальный, а связанный с рельефом. Одна и та же краска может лепить передний и задний планы, землю и небо, сгущая пространство, под-черкиваю единую материальную сущность всего. В дальнейшем с развитием пленэрного начала в 1920—1950-е гг. теряется активность композиции, но признаки ее архитектоничности всегда остаются.

36. А.В.Куприн
Сокольники. Каланча. 1919

36. Alexander Kuprin
Sokolniky. Watch-tower. 1919

37. А.В.Куприн
Розовые, лиловые и черные цветы на розовом фоне. 1926

37. Alexander Kuprin
Pink, Mauve and Black Flowers Against a Pink Background. 1926

Кончаловский Петр Петрович.
1876—1956

Заслуженный деятель искусств РСФСР (1939), народный художник РСФСР (1946), действительный член АХ СССР (1947), лауреат Государственной премии СССР (1943).
Учился в рисовальной школе М. Д. Раевской-Ивановой в Харькове, вечерних классах СЦХПУ в Москве у В. А. Суханова, в Академии Р. Жюльена в Париже у Ж.-П. Лоранса и Ж.-Ж. Бенжамен-Констана в 1896—1898 гг., в ВХУ при АХ у В. Е. Савинского, Г. Р. Залемана, П. О. Ковалевского, И. И. Творожникова в 1898—1905 гг.
Член-учредитель и председатель общества „Бубновый валет" с 1910 г. Участник экспозиций журнала „Золотое руно", объединений „Союз молодежи", „Мир искусства", „Бытие", АХРР, а также парижских выставок. Совершал частые поездки во Францию и Италию в 1900—1910-е гг. Преподавал в ГСХМ в 1918—1921 гг., Вхутеине в Москве в 1926—1929 гг.
Занимался станковой и театрально–декорационной живописью, графикой (акварель, рисунок). Деятельность Кончаловского отличается особым размахом, что проявилось как в количестве созданных им полотен, так и в колоссальных размерах ряда его произведений. В раннем творчестве новейшие художественные веяния — сезаннизм, кубизм и фовизм сочетаются с интересом к русскому народному искусству — иконописи, лубку, живописной вывеске. С конца 1920-х гг., как и многие другие советские художники, склоняется к пленэризму.Стремление к большой форме, насыщенности цвета (иногда приводящее к чрезмерной интенсивности) не во всех работах живописца находит точное пластическое решение целого, композиция нередко „рыхлая", случайная, иногда построена несколько небрежно. Организующее начало, композиционный ритм по мере удаления Кончаловского от манеры периода „Бубнового валета" становятся все менее активными.

38. П. П. Кончаловский
Натюрморт. Б.г.

38. Pyotr Konchalovsky
Still Life. Undated

39. П.П.Кончаловский
Сорренто. Сад. 1924

39. Pyotr Konchalovsky
Sorrento. Garden. 1924

Машков Илья Иванович.
1881—1944

Заслуженный деятель искусств РСФСР (1928). Учился в МУЖВЗ у К. А. Коровина и В. А. Серова в 1907—1909 гг. Член-учредитель и секретарь объединения „Бубновый валет" с 1910 г., член объединений „Мир искусства" (1916), „Московские живописцы" (1925), ОМХ в 1927—1928 гг., АХРР—АХР в 1924—1932 гг. Преподавал в собственной студии в Москве в 1902—1917 гг., в Центральной студии АХРР—АХР (до 1929 г., руководитель), в ГСХМ—Вхутемасе—Вхутеине в 1918—1930 гг. Много путешествовал по Европе и Азии в 1908—1914 гг.

Писал натюрморты, портреты, пейзажи, монументально-декоративные панно. Ранние произведения созданы под влиянием концепций Сезанна, кубизма и фовизма, народного русского искусства — „вывесочной" живописи, примитива, лубка. Подчеркнутая предметность изображения (делающая малоудачными выходы Машкова за пределы натюрморта), насыщенность цвета, его контрастность превращают простейшие вещи и бытовые мотивы в мажорный красочный мир („Натюрморт (Интерьер с женской фигурой)", 1918 (?). Широко употребляет черную обводку, что позволяет класть на светлые места краску без разбела и повышать таким образом интенсивность колорита. Многие полотна построены по принципу „малого пространства", то есть рельефа. В иных работах оно до того уплощается, что становится двухмерным, и только ритм и цветовые контрасты придают динамику изображенному. В 1920-е гг. обратился к более реалистичной манере, сохраняя живописную мощь, но стремясь отойти от чрезмерной локализации цвета. Композиции всегда предметны, построены чередующимися планами, параллельными плоскости холста. Некоторые натюрморты 1910—1920-х гг. составлены из изысканных предметов в духе натюрмортов мирискусников Сапунова, Судейкина, Гауша, что придает им налет ретроспективности. Писал „парадные" натюрморты, изображающие изобилие продуктов, а также камерные („шардdesновские") десерты („Натюрморт", 1930-е гг.). Попытки создания тематических картин были неудачны. Писал также индустриальные пейзажи („ЗАГЭС", 1927).

40. И.И.Машков
Натюрморт. 1930-е г.

40. Ilya Mashkov
Still Life. 1930s

41. И.И.Машков
Интерьер с женской фигурой. 1918 (?)

41. Ilya Mashkov
Interior with a Female Figure. 1918 (?)

Осмеркин Александр Александрович. 1892—1953

Учился в Рисовальной школе ОПХ у Н. К. Рериха в Петербурге в 1910 г., занимался в Киевском художественном училище у Г. К. Лядченко, И. С. Макушенко, Н. К. Пимоненко, В. К. Менка в 1911—1913 гг., в студии И. И. Машкова в Москве в 1913—1915 гг. Член объединений „Бубновый валет" (с 1913 г.), „Мир искусства" (1917—1922), СРХ (1918), „Московские живописцы" (1925), „Бытие" (1926), ОМХ (1927—1932, член президиума и секретарь), „Крыло" (1927), экспонент АХРР. В 1918–1930 гг. преподавал в ГСХМ—Вхутемасе—Вхутеине в Москве, ИЖСА ВАХ в 1932—1947 гг., профессор с 1933 г., МГХИ в 1937—1948 гг. Занимался станковой, театрально-декорационной живописью. Писал натюрморты, пейзажи, портреты, ню, историко-революционные и жанровые картины. Определенное влияние на художника оказали „московские сезаннисты", круга „Бубнового валета", в среде которых он воспринял традиции П. Сезанна, А. Дерена, раннего кубизма („Лес в Кунцеве", б.г.; Натюрморт, 1920). Живопись Осмеркина тонко нюансирована по цвету. В конце 1920-х — 1930-х гг. в его работах большая роль отводится принципам пленэрной живописи, усиливается этюдизм, утрачиваются точная композиционная организованность, конструктивность, энергичный ритм, однако внимание к колориту сохраняется.

42. А. А. Осмеркин
Натюрморт. 1920

42. Alexander Osmyorkin
Still Life. 1920

43. А. А. Осмеркин
Женщина, снимающая перчатку. 1924

43. Alexander Osmyorkin
Woman Taking Off a Glove. 1924

44. А.А.Осмеркин
Лес в Кунцеве. Б.г.

44. Alexander Osmyorkin
Forest in Kuntsevo. Undated

Малютин Иван Андреевич.
1891—1932

Учился в СЦХПУ на скульптурном отделении у Н. А. Андреева (окончил в 1911 г.). Живописец, график, художник театра. В 1910-е гг. был главным художником в опере Зимина, писал декорации совместно с П. П. Кончаловским и Ф. Ф. Федоровским. Талантливый карикатурист, с 1910-х гг. начал сотрудничать во многих журналах, особенно интенсивно работал в области сатирической графики в 1920-е гг.; вместе с М. М. Черемныхом и В. В. Маяковским оаздавал „Окна РОСТА“. Как живописец был близок „Бубновому валету“, написал ряд пейзажей и натюрмортов в духе „московского сезаннизма“(„Тополя“, 1920).

45. И. А. Малютин
Тополя. 1920

45. Ivan Malyutin
Poplars. 1920

**Покаржевский Петр Дмитриевич.
1889—1968**

Учился на вечерних курсах рисования в Елизаветграде у Ф. Козачинского, в Киевской художественной школе в 1906—1909 гг., ВХУ при АХ у Я. Ф. Ционглинского, Г. Р. Залемана, Н. С. Самокиша в 1909—1916 гг., окончив его по батальной мастерской. Член общества „Бытие" с 1922 г., АХРР с 1923 г. Организовал Государственные художественные мастерские в Туле, заведовал ими и преподавал там же в 1920—1922 гг., профессор МГХИ им. В. И. Сурикова с 1937 г. Организовал Тульский художественный музей (совместно с Г. М. Шегалем), работал там в 1920—1922 гг. Писал историко-революционные, батальные композиции и картины типа „вождь и народ", а также пейзажи (в том числе индустриальные), портреты и натюрморты (цветы). В 1920-е гг. занимался книжной графикой. В творчестве Покаржевского параллельно существуют две, казалось бы, взаимоисключающие манеры, каждая из которых – со своим кругом жанров и сюжетов: академическая и сезаннистская. Батальные и историко-революционные картины, парадные портреты Покаржевский писал в традиции батальной мастерской АХ, пейзажи – в русле „московского сезаннизма" („Тульский дворик", 1919).

46. П.Д.Покаржевский
Тульский дворик. 1919

46. Pyotr Pokarzhevsky
Courtyard in Tula. 1919

Шегаль Григорий Михайлович.
1889—1956

Член-корреспондент АХ СССР (1954).
Учился в Рисовальной школе ОПХ у Н. К. Рериха, А. А. Рылова, И. Я. Билибина, П. С. Наумова и А. И. Вахрамеева в 1912—1916 гг., в ВХУ при АХ в 1917—1918 гг., во Вхутемасе в Москве у А. В. Шевченко в 1922–1925 гг. Участник выставки „Бубнового валета" (1924). Член АХР в 1928—1932 гг. Преподавал в МХИ в 1937—1941 гг., профессор с 1940 г., в изостудии Пролеткульта в Туле в 1918—1922 гг., на художественном факультете ВГИКа в 1947—1956 гг. Писал пейзажи, в том числе индустриальные, портреты, бытовые и историко-революционные полотна, натюрморты. Теоретически разрабатывал проблему колорита. В раннем творчестве испытал сильное влияние сезаннизма. В 1930-е гг. это влияние уже менее заметно, но сохраняются некоторая схематичность рисунка и рационалистичность построения колорита.
В 1918—1922 гг. жил в Туле, занимаясь педагогической и музейной деятельностью (совместно с П. Д. Покаржевским). В этот период и заложены основы увлечения Сезанном, что объясняется также общением с А. А. Осмеркиным. Явные признаки сезаннизма, родственные живописи бубнововалетовцев, заметны в воспроизведенном полотне „Пейзаж. Хомяково" (1921): внимание к теплохолодности, на которой строится колорит, геометризация объемов, даже манера класть мазок.

47. Г.М.Шегаль.
Пейзаж. Хомяково. 1921

47. Grigory Shegal
Landscape. Khomyakovo. 1921

Федоров Герман Васильевич.
1886—?

Учился в МУЖВЗ в 1902—1911 гг. Член „Бубнового валета" в 1911—1917 гг., АХРР в 1924—1928 гг., ОМХ в 1928—1932 гг. Преподавал в художественных студиях и школах Москвы с 1914 г. Ассистент П. П. Кончаловского в ГСХМ с 1918 г., профессор с 1920 г., затем продекан основного отделения живописного факультета Вхутемаса. Преподавал в МХУ и МПИ с 1932 г. Занимался станковой и монументальной живописью. Писал пейзажи, натюрморты, портреты, а с 1922 г. — тематические картины на индустриальные темы. Испытал сильное влияние бубнововалетовцев, особенно П. П. Кончаловского, работал в традиции „московского сезаннизма" („Натюрморт", 1919). В 1929 г. был командирован сектором искусств Наркомпроса РСФСР в Новороссийск для работы над индустриальной темой („Ремонт порта и элеватора в Новороссийске", 1929).

48. Г. В. Федоров
Ремонт порта и элеватора в Новороссийске. 1929

48. German Fyodorov
Novorossiysk Port and Elevator under Repairs. 1929

49. Г.В.Федоров
Натюрморт. 1919

49. German Fyodorov
Still Life. 1919

Фальк Роберт Рафаилович.
1886—1958

Учился в школе рисования и живописи К. Ф. Юона и И. О. Дудина и в студии И. И. Машкова в Москве в 1904—1905 гг., в МУЖВЗ у В. А. Серова, К. А. Коровина, А. Е. Архипова, Л. О. Пастернака, А. М. Васнецова в 1905—1912 гг. Член-учредитель „Бубнового валета" в 1910—1917 гг., член объединений „Мир искусства" в 1917—1922 гг., „Московские живописцы" (1925), АХРР в 1926—1928 гг., ОМХ (1928). Посетил Италию в 1910—1911 гг., работал в Париже в 1928—1937 гг. Преподавал в ГСХМ—Вхутемасе—Вхутеине в Москве в 1918—1928 гг.,в Самаркандском областном художественном училище в 1942—1943 гг., в МИПИДИ в 1945—1958 гг. Член Всероссийской коллегии ИЗО Наркомпроса в 1918—1921 гг. Член Инхука (1921).
Занимался станковой и театрально-декорационной живописью. Писал пейзажи, натюрморты, портреты, ню. Работы периода учебы в МУЖВЗ близки импрессионизму. В произведениях 1910-х гг., выполненных в русле „Бубнового валета", сочетаются элементы кубизма и народного искусства, но уже чувствуется сезанновская основа — стержень всего творчества Фалька. Испытал также влияние В. А. Фаворского. В работах конца 1920-х — 1930-х гг. заметны особое внимание к живописной ткани, камерность мотива, сближение произведений Фалька этих лет с творчеством румынского художника Г. Петрашку („Натюрморт с рыбами", 1933). Никогда не писал тематических картин, в этом проявилась честность художника, его верность своему призванию. Фальк полагал, что задача художника — не копирование натуры, а „сотворение мира" из живописной ткани: „Мы видим только цветовое событие, которое зрительно образует форму и пространство [. . .] дело в том, чтобы войти в верные внутренние зрительно-психологические процессы [. . .]. Вещи как бы начнут жить внутри нас. Конечно, это будет не жизнь вещей, а ваша усиливающаяся внутренняя жизнь [. . .]. В искусстве есть другие конкретности, кроме мира вещей (предметов): конкретность света, состояния, пространства, наконец, чувства".

50. Р. Р. Фальк
Натюрморт с рыбами. 1933

50. Robert Falk
Still Life with Fishes. 1933

Рождественский Василий Васильевич.
1884—1963

Учился в МУЖВЗ у К. А. Коровина, С. В. Малютина, В. А. Серова, Л. О. Пастернака, А. Е. Архипова в 1902—1911 гг. Член-учредитель объединения „Бубновый валет" (1910), член Объединений „Мир искусства" в 1917—1922 гг., „Московские живописцы" (1925), ОМХ в 1927—1929 гг., АХРР в 1926—1928 гг. Преподавал в ГСХМ в 1918—1920 гг., в художественной школе поселка Удомля Тверской губернии в 1920—1922 гг. Писал пейзажи, в том числе индустриальные, натюрморты, портреты, жанровые полотна. Стойкий приверженец сезаннизма, Рождественский понимал его как систему колорита, построенного на педалированной теплохолодности, насыщенности контрастных мазков цвета („Натюрморт с печкой", 1918). В 1920—1930-е гг. посетил Крым, Дагестан, Среднюю Азию, Русский Север, Алтай, Северный Урал, отовсюду привозя серии работ („Пейзаж. Средняя Азия", 1919; „Северная деревня", 1932).

51. В. В. Рождественский
Натюрморт с печкой. 1918

51. Vasily Rozhdestvensky
Still Life with a Stove. 1918

52. В. В. Рождественский
Северная деревня. 1932

52. Vasily Rozhdestvensky
Northern Village. 1932

53. В.В.Рождественский
Пейзаж. Средняя Азия. 1929

53. Vasily Rozhdestvensky
Landscape. Central Asia. 1929

Волков Александр Николаевич. 1886–1957

Заслуженный деятель искусств УзССР (1943), народный художник УзССР (1946).
Учился в ВХУ при АХ у В. Е. Маковского, А. В. Маковского в 1908—1910 гг., в школе М. Д. Бернштейна в Петербурге у Н. К. Рериха и И. Я. Билибина в 1910—1912 гг., в Киевском художественном училище у Ф. Г. Кричевского в 1912—1916 гг. Член АХР с 1928 г.
Преподавал в 1916—1946 гг. в Ташкентском художественном училище — Туркестанских художественных мастерских — Ташкентском художественном техникуме. Писал картины на бытовые и производственные темы, портреты, натюрморты. Сюжеты черпал преимущественно из жизни узбеков. Испытал влияние кубофутуризма, особенно заметное в „Гранатовой чайхане“ (1924). Отдельные признаки кубизма проходят через все творчество художника — предметность, укрупнение объемов, приближение их к первому плану, построение композиции по принципу рельефа. Много внимания уделял ритмической организации плоскости. Колорит живописи Волкова насыщенный, горячий, почти всегда основанный на модуляциях красного цвета.
„Девушка у виноградника“ — характерное произведение конца 1910-х — 1920-х гг. Художник дает изображение крупным планом, несколько утрируя пропорции и объемность, что позволяет в ограниченном пространственном слое строить рельефные отношения. Тема советского Востока, вообще распространенная в отечественном искусстве 1920-х гг., особенно привлекала Волкова, что, по-видимому, объясняется его склонностью к интенсивному колориту, условности и декоративности манеры.

54. А.Н. Волков
Девушка у виноградника. Б.г.

54. Alexander Volkov
Girl Near a Vineyard. Undated

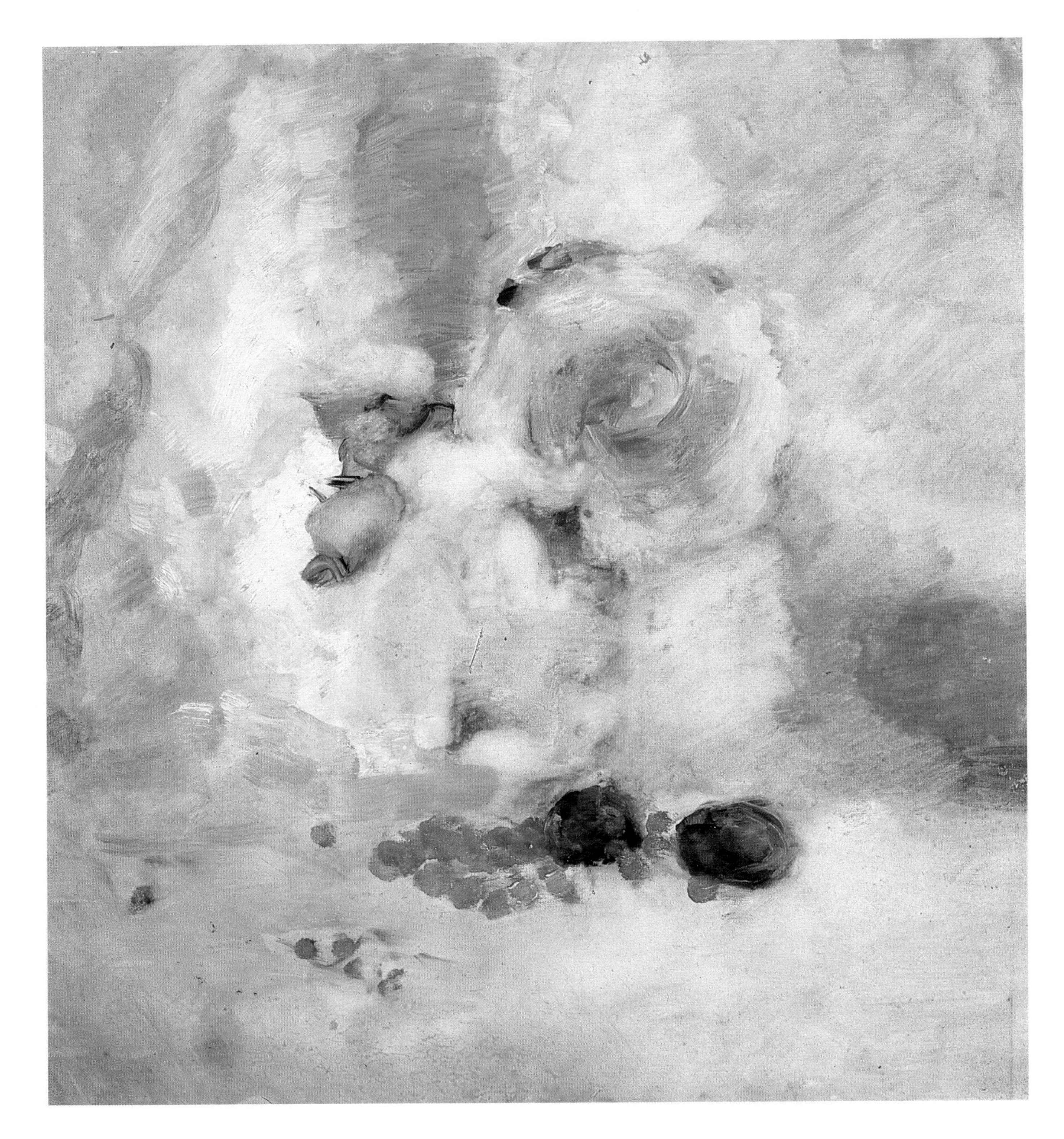

Фонвизин Артур Владимирович. 1882—1973

Заслуженный художник РСФСР (1972). Учился в МУЖВЗ у К. Н. Горского, В. Н. Бакшеева в 1901—1904 гг., в Мюнхене в мастерской Гарднера и М. Геймана (частная студия рисунка и литографии) в 1904—1906 гг. Участник выставок „Голубая роза“ (1907), „Золотое руно“, „Венок“ („Стефанос“) (1908), экспонент „Союза молодежи“ (1909), „Бубнового валета“ (1910). Член объединения „Искусство — жизнь“ („Маковец“) в 1922–1925 гг., ОМХ (1928). Преподавал в Карандеевке Тамбовской обл. в художественной студии, организованной им совместно с К. К. Зефировым для деревенских детей. Преподавал в Нижегородском (1923) и Тамбовском художественных техникумах в 1926—1927 гг.

Живописец, график. С конца 1920-х гг. работал преимущественно в акварельной технике. Писал портреты, пейзажи, натюрморты, жанровые сцены. Создал графические циклы на „восточные мотивы“, темы цирка, театра, иллюстрации к повести Э.-Т.-А. Гофмана. Испытал заметное влияние своего мюнхенского учителя Геймана, графика неоромантического склада, охотно обращавшегося к теме цирка, театра. Литературные и театральные реминисценции пронизывают творчество Фонвизина. Его манеру отличают прихотливость, легкость, вибрация среды, изысканность колорита, недосказанность образа („Натюрморт с розой“, б.г.).

55. ***А. В. Фонвизин***
Натюрморт с розой. Б.г.

55. ***Arthur Fonvizin***
Still Life with a Rose. Undated

Татлин Владимир Евграфович. 1885—1953

Заслуженный деятель искусств РСФСР (1931). Учился в МУЖВЗ у К. А. Коровина и В. А. Серова в 1902—1903 гг. и в 1909—1910 гг., в Пензенском художественном училище у И. С. Горюшкина-Сорокопудова и А. А. Афанасьева в 1910—1911 гг., в частной студии М. Д. Бернштейна и Л. В. Шервуда в Петербурге. Экспонент „Мира искусства". Председатель Объединения новых течений в искусстве (1922), член „Бубнового валета" в 1912—1913 гг., „Союза молодежи" в 1913—1914 гг. Экспонент выставок „Ослиный хвост" (1912), „Трамвай В" (1915), „0,10" в 1915—1916 гг., „Магазин" (1916). Преподавал в ГСХМ в 1918—1920 гг., в ПГСХУМ—Вхутемасе в Петрограде в 1919—1924 гг., в Киевском художественном институте в 1925—1927 гг., во Вхутеине в Москве в 1927—1930 гг. (профессор). Заведующий отделом материальной культуры МХК в 1921—1925 гг., ГИНХУКа. В 1913 г. посетил Францию и Германию.
Занимался художественным проектированием бытовых вещей для массового производства и уникальных конструкций („Летатлин"), участвовал в осуществлении плана монументальной пропаганды, был первым иллюстратором книг В. В. Хлебникова и В. В. Маяковского, работал как график-станковист, художник театра и живописец-станковист. Писал натюрморты, ню, пейзажи, жанровые сцены, портреты. В конце 1910-х гг. выполнял „контррельефы" — объемные композиции на плоскости, сделанные из различных материалов. Живопись Татлина в 1910-е гг. пастозная, широкая, с акцентированным цветом и (особенно в раннем творчестве) подчеркнутой конструктивностью изображенного, ясно читаемой пластикой рисунка, лежащего в основе живописи, близка кубизму и футуризму. В поздний период писал в основном натюрморты („Цветы", 1940). Цветы и листья, сосуд, драпировка растворяются в таинственном полумраке. Краска положена тонким слоем и местами процарапана до белого грунта черенком кисти, что создает ощущение мерцания и единства среды.

56. В. Е. Татлин
Цветы. 1940

56. Vladimir Tatlin
Flowers. 1940

57. К.Н.Редько
Полуночное солнце (Северное сияние). 1925

57. Kliment Redko
Midnight Sun (Northern Lights). 1925

Пестель (Бальи)
Вера Ефремовна.
1887—1952

Училась в студии М. Э. Фализ в Москве в 1902—1903 гг., в СЦХПУ в 1904—1906 гг., в школе К. Ф. Юона и И. О. Дудина в 1906—1907 гг., работала в студиях без руководителя в Москве с Л. С. Поповой, Н. А. Удальцовой, В. А. Фаворским в 1911—1912 гг. Занималась в свободных студиях в Париже в 1912—1913 гг. Член объединений „Искусство — жизнь" („Маковец") в 1922—1924 гг., „Путь живописи" в 1927—1930 гг. Как педагог ведала начальным художественным образованием в различных учреждениях Москвы в 1920—1950-е гг.
Члены „Маковца", занимавшиеся у Ш. Холлоши или его учеников (Пестель — у К. Э. Киша в студии Юона), тяготели к традиционной станковой картине с ясным и цельным пластическим решением. „Интерьер. Семья за столом" (1920—1921) — пример такого подхода. Живопись предметна, однако без иллюзорности или академизма; объем понимается как „большая", обобщенная форма, но не взятая сама по себе, что характерно для школы Д. Н. Кардовского, а во взаимодействии с другими объемами и сохранением плоскости картины, то есть без ее иллюзорного „прорыва"; сама композиция оказывается такой единой „большой формой", пространство же — уплотненным, „малым", иными словами, картина строится по принципу рельефа. Это приводит к тому, что небольшая станковая вещь приобретает черты монументальности, а камерный мотив освобождается от какого-либо налета бытовизма. Традиции многовековой истории станковой живописи соединяются с открытиями изобразительных средств начала XX века.

62. В. Е. Пестель
Интерьер. Семья за столом. 1920—1921

62. Vera Pestel
Interior. Family at a Table. 1920—21

63. К.К.Зефиров
Сухие цветы. Середина 1930-х гг.

63. Konstantin Zefirov
Dry Flowers. 1930s

Зефиров Константин Клавдианович. 1879—1960

Учился вместе с Г. С. Верейским и К. Н. Истоминым в частной школе Е. Е. Шрейдера в Харькове в 1902—1905 гг., в школе Ш. Холлоши в Мюнхене в 1906—1909 гг., в студии К. Э. Киша в Москве в 1909 г. Работал в собственной студии совместно с А. В. Фонвизиным в 1910-е гг. Член объединений „Маковец" („Искусство — жизнь") в 1922—1924 гг., ОМХ в 1925—1932 гг. Преподавал в студии Пролеткульта в Тамбове в 1918—1920 гг., заведовал изорабфаком Вхутемаса в Москве в 1923—1924 гг., преподавал живопись в МХУ в 1932—1935 гг., в МИИ в 1936—1941 гг. доцент, в ГИТИСе им. А. В. Луначарского в 1943 г., в московской детской художественной школе в 1941—1961 гг.
Занимался станковой живописью и графикой. Писал портреты, интерьеры, натюрморты, пейзажи. При отсутствии всякой внешней эффектности, нарочитости приема живопись Зефирова отличается единством плотной цветовой среды, в которой, однако, отнюдь не растворяется предмет; объем, что вообще характерно для школы Холлоши, передается весьма осязаемо, посредством решительной лепки формы цветом. Композиция строится на звучных светотеневых контрастах, художник смело и успешно вводит в живописную ткань черный цвет. Предпочитает писать хорошо знакомых людей, интерьер своей мастерской, обжитые предметы, возвращаясь к одним и тем же пейзажным мотивам — главным образом деревни Карандеевка Тамбовской области, искренне, вдумчиво и прочувствованно передавая натуру. „Хотелось, — как говорил Гете в „Фаусте", — заглянуть в душу природы, как в сердце друга", — писал художник в автобиографии.
В натюрморте „Сухие цветы" (середина 1930-х гг.) Зефиров варьирует свой излюбленный мотив — черная шкатулка, раковина, увядший букет на столике; эти предметы встречаются в произведениях Зефирова, начиная с 1910-х годов; всегда внимательный к отношениям теплых и холодных тонов, пронизывающих и объединяющих колорит произведения, в этой работе Зефиров усилил звучание голубого, выдержав натюрморт в холодной гамме. „Девочка в розовом" (1920-е гг.) — редкий для Зефирова портрет в рост; само название свидетельствует о ставившейся колористической задаче; мерцание золотистых и розовых тонов, то отдельными мазками краски загорающихся на фоне, то сгущающихся в локальные пятна цветка, платья, карнации создают своеобразное свечение изнутри картины, позволяя вспомнить столь любимого художником Рембрандта.

64. К. К. Зефиров
Девочка в розовом. 1920-е гг.

64. Konstantin Zefirov
Girl in Pink. 1920s

Романович Сергей Михайлович. 1894—1968

Учился в МУЖВЗ у Н. А. Касаткина, А. Е. Архипова и К. А. Коровина в 1910—1913 гг. Член объединений „Маковец" („Искусство — жизнь") с 1922 г., ОМХ с 1927 г. Экспонент выставок „Ослиный хвост", „Мишень", „№ 4" и других левой ориентации. Преподавал в студии московского Пролеткульта в 1918—1920 гг., организовал филиал московского Вхутемаса в Воронеже и преподавал там в 1920—1922 гг., во Вхутемасе в Москве в 1922—1923 гг., на рабфаке искусств там же в 1928—1929 гг. Писал историко-революционные (в том числе на ленинскую тему) картины, композиции на мифологические (античные и библейские) сюжеты, нередко варьируя (отчасти гротесково-пародийно) классические произведения XVII века. Так написана картина „Аталанта и Мелеагр" (1930-е гг.) на сюжет мифа о калидонской охоте. Историко-революционные полотна выполнены в традиционно реалистической манере, можно отметить лишь повышенный колоризм. Работы на мифологические сюжеты написаны импульсивным мазком, эскизны, активны по цвету, но „классичны" по композиции. Ярко отразил в своем творчестве программные для „Маковца" интерес к художественному наследию и стремление к целостному художественному образу в станковой картине.

Редько Климент Николаевич.
1897—1956

Учился в иконописной школе Киево-Печерской лавры в 1910—1914 гг., где познакомился с В. Н. Чекрыгиным, в Рисовальной школе ОПХ вместе с П. А. Мансуровым у А. А. Рылова, А. И. Вахрамеева в 1914—1917 гг., в ПГСХУМ у В. В. Кандинского в 1920—1922 гг. Член Ассоциации художников революционной Франции (1934), экспонент 1-й дискуссионной выставки объединений активного революционного искусства (1942, Москва), парижских Салонов (1927—1934). Главный художник ВСХВ в 1938—1940 гг. В 1927—1935 гг. работал во Франции.
Занимался станковой и монументальной живописью (панно), графикой (плакаты, рисунки), участвовал в работе „Окон ТАСС". Испытал влияние В. Н. Чекрыгина, С. Б. Никритина, М. Л. Бойчука (с которым тесно общался в 1918—1920 гг. в Киеве) и В. В. Кандинского. Увлекался супрематизмом, кубизмом. Стараясь передать в живописи физическую энергию, в 1923—1924 гг. сформулировал теоретически и подкрепил живописными работами концепцию „электроорганизма" — „свеченизма". Писал индустриальные композиции (названные А. А. Федоровым-Давыдовым „инженерной стилизацией"), портреты, пейзажи, жанровые полотна. В 1925 г. посетил побережье Белого моря, там написал с натуры десять полотен. „Полуночное солнце (Северное сияние)" (1925) — первое из них и одно из лучших в его творчестве. В этом произведении соединились жизненные впечатления с основным тезисом концепции „свеченизма": „Свет — высшее выявление материи". Приступая к этой работе, художник оставил запись в своем дневнике от 2 июля 1925 г.: „Пристроился писать первое полотно в наблюдательной будке, в которой до того сыро, что при дыхании виден пар, как в мороз. Замысел картины в общем есть. Вдали вибрирующей напряженностью должна выделяться линия горизонта. Вблизи над горизонтом повисло, запуталось в сетях туч разъяренное ночное солнце. Огромный огненный ком света ударяет в пространство океана, на котором лежат десятка два посудин с промышляющими рыбаками". Работы парижского периода по стилистике близки живописи Д. П. Штеренберга и при этом отчасти мастерам школы Д. Н. Кардовского („Группа парижан", 1932–1933). В конце 1920-х гг. утрачивает своеобразие манеры, пишет „реалистические" картины, портреты вождей, помпезные панно для ВСХВ.

58. *К. Н. Редько*
Группа парижан. 1932—1933

58. *Kliment Redko*
Group of Parisians. 1932—33

Никритин Соломон Борисович.
1898—1965

Учился в Киевском художественном училище в 1909—1914 гг., во Вхутемасе в Москве в 1920—1921 гг. В 1930-е гг. — главный художник Политехнического музея в Москве.
Совместно с С. А. Лучишкиным, П. В. Вильямсом и В. Н. Яхонтовым в начале 1920-х гг. организовал Проекционный театр, ставивший новаторские, экспериментальные спектакли, в которых авторы стремились как можно полнее выявить возможности формальных средств. Участвовал в оформлении революционных празднеств в Киеве и Москве, занимался театрально-декорационной и монументальной живописью, журнальной графикой, оформлением экспозиций музеев, создавал пластические композиции „Архитектоника". Писал тематические картины, аллегорические композиции („Старое и новое", 1935), портреты. Теоретик, изучал проблемы цветоведения, создал концепцию творчества, близкую современному „концептуальному искусству" (художник не создает „вещи", а изобретает методы, которые потом распространяются в предметной деятельности человека). В романтически философских произведениях 1930-х гг. экспрессионистическую трактовку образов соединял с пластической завершенностью, классической построенностью композиции. В послевоенное время писал портреты рабочих и колхозников, картины на производственную тему, утратив прежние характерные черты манеры.
„Композиция" (1930-е гг.) — живописная фантазия, в изображенном архитектурном мотиве угадываются пропорции фасада и очертания скульптуры советского па-вильона на Всемирной выставке в Париже (1937).

Чекрыгин Василий Николаевич. 1897—1922

Учился в иконописной школе Киево-Печерской лавры с 1906 г., в МУЖВЗ в 1910–1914 гг. Участник выставки „№ 4" (1913), член-учредитель и признанный лидер объединения „Искусство — жизнь" („Маковец") (1922).
Участвовал в оформлении революционных празднеств в Киеве. Работал в области станковой графики и живописи, книжной иллюстрации, плаката, театрально-декорационного искусства. Испытал воздействие идей философа Н. Ф. Федорова о преодолении смерти, что отразилось в выборе сюжетов и пафосе произведений Чекрыгина.
А. В. Бакушинский писал в 1923 г. об искусстве художника: „Оно далеко выходит за пределы национальной традиции по характеру своей художественной формы. Эта форма имеет непосредственную органическую связь с вершинами мирового искусства, преимущественно западного [. . .] Византийская и древнерусская фреска — мозаика, рядом с нею фреска античная, Рублев и Фидий, — вот те „вечные спутники", которые твердо и вне временных увлечений были избраны В. Н. для путей своих творческих исканий. [. . .] Им найдена сразу и непосредственно таинственная формула взаимоотношений личного и общечеловеческого, человеческого и вселенского. [. . .]
Отсюда необычайная легкость рождения образов у художника, отсутствие мучительных исканий формы. Она давалась сразу и не исправлялась в процессе аналитической, индивидуальной обработки. Отсюда кажущаяся „детскость", „несделанность" до конца формы при всей необходимости и крайней строгости ее основного строения". Картина „Судьба" (1922) написана в последние дни жизни Чекрыгина.

59. С. Б. Никритин
Композиция. 1930

59. Solomon Nikritin
Composition. 1930

60. В. Н. Чекрыгин
Судьба. 1922

60. Vasily Chekrygin
Destiny. 1922

Синезубов Николай Владимирович. 1891—1948

Учился в МУЖВЗ до 1917 г. Экспонент „Мира искусства", МТХ, член объединения „Искусство — жизнь" („Маковец"). Работал в ИНХУКе. Занимался графикой (линогравюра, офорт), живописью (жанровые сцены, портрет). В раннем творчестве испытал влияние П. Сезанна, А. Дерена. Стремился к картинности (в противовес распространенной в начале века этюдности), обращался к теме городского „дна", трактуя ее экспрессионистически. В 1922–1928 гг. посетил Германию. В камерные станковые полотна привносил одухотворенность, избирая обыденные сюжеты, но выражая в них вечные этические ценности („Девушка у зеркала", 1919). В живописи подчеркивал пластическую структуру формы. С другими членами „Маковца" его роднили (по словам Н. М. Чернышева) „близость духовных запросов, стремление к великим образцам искусства".

61. Н.В.Синезубов
Девушка у зеркала. 1919

61. Nikolai Sinezubov
Girl at a Mirror. 1919

65. С.М.Романович
Аталанта и Мелеагр. 1930–е гг.

65. Sergey Romanovich
Atalanta and Meleager. 1930s

Чернышев Николай Михайлович. 1885—1973

Учился в МУЖВЗ у А. Е. Архипова, Н. А. Касаткина, В. А. Серова и К. А. Коровина в 1901—1911 гг., в ВХУ при АХ у Д. И. Киплика и В. В. Матэ в 1911—1915 гг., в Академии Р. Жюльена в Париже в 1910 г. Член „Мира искусства" (1921), член-учредитель объединения „Искусство — жизнь" („Маковец") в 1922—1926 гг., член ОМХ в 1928—1929 гг., АХР в 1932 г., Союза деятелей прикладного искусства и художественной промышленности (1919). Преподавал в Учительском институте в Петербурге—Петрограде в 1911—1915 гг., на монументальном отделении во Вхутемасе—Вхутеине в Москве в 1920—1930 гг., в ИНПИИ в 1930—1931 гг., в МХУ в 1932—1933 гг., в ИЖСА ВАХ в 1942—1947 гг., в МХИ в 1936—1948 гг., профессор.
Писал портреты, натюрморты, жанровые и исторические полотна, выполнял графические работы, участвовал в оформлении революционных празднеств. Автор книги и статей о монументальной живописи. В раннем творчестве испытал влияние „парижской школы", отголоски кубизма ощущаются в „Натюрморте с красным ведром и бутылкой" (1919). В 1920-е гг. сложилась стилистика живописца, в которой соединились новации XX в. и древнерусская традиция, черты монументального и станкового искусства. Основная тема творчества Чернышева, художника лирического склада — юность („Пионерка Горюхина", 1925; „Девочка с козленком", 1928). „Испытываю неистовый восторг перед красотой нежного образа девочки-подростка, — писал художник. — Восторг неутолимый, платонический, чистый, беспредельный". В 1960-е гг. создал ряд произведений, посвященных древнерусским иконописцам. Смысл своей деятельности Чернышев так охарактеризовал в 1966 г.: „Задача моей жизни — найти связующее звено между грандиозным наследием древнерусского искусства и задачами сегодняшнего дня. Отнюдь не воссоздать старое, из чего получилась бы стилизация, то есть нечто отмершее, неорганическое. Но создать живое, гармоническое искусство наших дней".

66. *Н. М. Чернышев*
Натюрморт с красным ведром и бутылкой. 1919

66. *Nikolai Chernyshov*
Still Life with a Red Bucket and a Bottle. 1919

67. Н.М.Чернышев
Пионерка Горюхина. 1925

67. Nikolai Chernyshov
Young Pioneer Goryukhina. 1925

68. А.В.Шевченко
Девушка с грушами. 1933

68. Alexander Shevchenko
Girl with Pears. 1933

Шевченко Александр Васильевич. 1883—1948

Учился в СЦХПУ у Н. А. Андреева, М. А. Врубеля и С. В. Ноаковского в 1899—1906 и 1907 гг., в частной студии Э. Каррьера и Академии Р. Жюльена в Париже у Э. Дина и Ж.-П. Лоранса в 1905—1906 гг., в МУЖВЗ у В. А. Серова и К. А. Коровина в 1907—1910 гг. Экспонент объединений и выставок „Мир искусства" (1917,1921), Общества им. Леонардо да Винчи (1906), МТХ (1908), „Ослиный хвост" (1912), „Союз молодежи" (1912), „Московский салон" (1913), „№4" (1914), „Искусство – жизнь" („Маковец") (1922—1925), „Цветодинамос и тектонический примитив" (1919).
Член-учредитель „Цеха живописцев" в 1926—1930 гг. Посетил Англию, Испанию, Египет, Турцию в 1906 г. Преподавал в ГСХМ—Вхутемасе— Вхутеине в Москве в 1918—1929 гг. (руководитель мастерской).
Писал пейзажи, натюрморты, портреты, жанровые полотна. Свой метод называл „неопримитивизмом" или „тектоническим примитивизмом", выявляя конструктивность и обобщенность, условность изображения. Испытал влияние П. Сезанна и кубизма, а также русского примитива, народного искусства (лубка, вывесочной живописи), иконописи. Для него характерны лаконизм, обобщенность форм, локальность цвета, ритмически решенная плоскость. В 1910—1920-е гг. в его живописи явно преобладает „сезаннизм" („Натюрморт", 1920). К концу 1920-х гг. складывается оригинальная манера Шевченко, воплотившаяся преимущественно в произведениях на темы Востока и натюрмортах и связанная с лапидарностью форм и колористических решений („Девушка с грушами", 1933). С конца 1930-х гг. его работы утрачивают пластическую активность и своеобразие манеры, художник пытается усвоить приемы пленэрной живописи.

69. А. В. Шевченко
Натюрморт. 1920

69. Alexander Shevchenko
Still Life. 1920

70. А.В.Шевченко
Батум. 1929

70. Alexander Shevchenko
Batum. 1929

Герасимов Сергей Васильевич.
1885—1964

Заслуженный деятель искусств РСФСР (1937), народный художник РСФСР (1943), народный художник СССР (1958), действительный член АХ СССР (1947), лауреат Ленинской премии (1966).
Учился в СЦХПУ у С. В. Иванова, К. А. Коровина, Д. А. Щербиновского в 1901—1907 гг., в МУЖВЗ у С. В. Иванова, А. Е. Архипова, К. А. Коровина в 1907—1912 гг. Занимался литографией под руководством С. С. Голоушева в конце 1900-х — начале 1910-х гг. Член общества „Искусство — жизнь" („Маковец") в 1922—1925 гг., член-учредитель ОМХ в 1926—1929 гг., член АХР в 1930—1932 гг.
Участник выставок Общества им. Леонардо да Винчи, Московского салона и других. Преподавал в художественной школе при типографии товарищества И. Д. Сытина в 1912—1914 гг., в Государственной школе печатного дела ИЗО Наркомпроса при Первой образцовой типографии в 1918—1923 гг., во Вхутемасе—Вхутеине в 1920—1929 гг., в МПИ в 1930—1935, в МХИ в 1937—1947, в МГХИ им. В. И. Сурикова в 1948—1950 гг., в МВХПУ в 1959—1960, профессор с 1940 г.
Писал портреты (в основном портреты-типы), историко-революционные, исторические и жанровые полотна, пейзажи и натюрморты. В раннем творчестве ощутимо влияние П. Сезанна, обобщенная форма и построенный на теплохолодности с проникающими голубыми оттенками пленэрный колорит, вместе с тем тяготеющий к декоративности. Дальнейшее движение к монументализации формы было созвучно возрастающей „эпичности" содержания. Герасимов склонен не к конкретности или индивидуализированному психологизму персонажей, а к их типизации, иногда несколько утрированной. „Мещанка" (1923) — редкий пример „отрицательного" типажа в портретной живописи. „Деревенский комсомолец" (1930) — характерный для творчества Герасимова портрет-тип („Фронтовик", 1926, „Колхозный сторож", 1933); сдержанный, с преобладанием серого колорит, высока степень обобщения, Однако по выразительности данная работа уступает аналогичным как в творчестве самого Герасимова, так и, например, А. Н. Самохвалова или Г. Г. Ряжского. Русский Север, куда проложили художникам дорогу К. А. Коровин и В. А. Серов, с тех пор неизменно привлекает живописцев. Север писали А. А. Борисов, А. Е. Архипов, В. В. Рождественский и другие. В конце 1920-х — начале 1930-х гг., путешествуя по стране, Герасимов посетил Архангельск, написал там ряд пейзажных этюдов, в том числе этюд „Вечер в порту. Архангельск" (1932). Это именно „нашлепок" с натуры, сделанный широко и свободно, но даже в быстром этюде заметно композиционное и колористическое мастерство художника, его склонность к оперированию большими пятнами цвета, что в результате дает декоративный эффект.

71. С. В. Герасимов
Вечер в порту. Архангельск. 1931

71. Sergey Gerasimov
Evening in a Port. Arkhangelsk. 1931

72. С.В.Герасимов
Мещанка. 1923

72. Sergey Gerasimov
Town Woman. 1923

73. С.В.Герасимов
Деревенский комсомолец. 1930

73. Sergey Gerasimov
Member of a Village Young Communists' Organization.
1930

74. П.А.Осолодков
Матрос. 1930-е гг.

74. Pyotr Osolodkov
Sailor. 1930s

**Осолодков Петр Алексеевич.
1898—1942**

Учился в художественной студии 5-й армии в Омске, в 1-й Сибирской художественно-промышленной школе им. М. А. Врубеля в Омске в 1920—1924 гг., во Вхутемасе—Вхутеине в Ленинграде у А. И. Савинова в 1924—1929 гг., в аспирантуре ИЖСА ВАХ в 1932—1934 гг., на курсах повышения квалификации ВАХ в 1934—1936 гг. Член объединения „Круг художников" в 1927—1932 гг.
Писал портреты и натюрморты. Занимался книжной и журнальной графикой, участвовал в создании праздничного оформления Ленинграда. Стремился к крупной, осязаемой форме, продуманности композиции. Его манере письма присущи обобщенность объема, импульсивность и порывистость мазка, энергичная лепка кистью, цветовая насыщенность („Матрос", 1930-е гг.).

**Щукин Юрий Прокопьевич.
1904—1935**

Учился в Свободных художественных мастерских Воронежа у С. М. Романовича и Н. Х. Максимова в 1919—1922 гг., во Вхутемасе в Москве у К. Н. Истомина в 1922—1925 гг., там же на театрально-декорационном отделении у П. П. Кончаловского и И. М. Рабиновича в 1925—1930 гг. Член АХРР с 1929 г.
Участвовал в оформлении революционных празднеств и демонстраций, массовых театрализованных зрелищ в Воронеже и Москве. Теоретик, автор книг о праздничном оформлении городов (совместно с А. Кузнецовой и А. С. Магидсон). Автор графических серий на темы театра, цирка. Занимался театрально-декорационной живописью, писал портреты, пейзажи, натюрморты. Склонен к гротеску, использованию приемов народного искусства (лубка), ироническому их переосмыслению, колорит его работ драматически напряженный, плотный. „Аттракцион" (1933) примыкает к графической серии „Театральные персонажи" (1933). В образе владельца „увеселения" отразились впечатления провинциальной жизни детских лет. Опираясь на стилистику „Бубнового валета", Щукин гротескно заостряет черты персонажей, создавая только ему присущую образность. Романтизация воздухоплавания, широко распространенная в советской живописи 1920—1930-х гг., имеет место и в творчестве Щукина („Дирижабль над городом", 1933). Наблюдая взлет дирижабля из своей мастерской на Верхней Масловке (где находились мастерские многих живописцев, а поблизости — ангары дирижаблей), Щукин отразил личные впечатления. В полотне царит живописная стихия, создано уплотненное, „суггестивное" пространство.

75. Ю.П.Щукин
Аттракцион. 1933

75. Yuri Shchukin
Attraction. 1933

Древин (Древинь, Древиньш)
Александр (Рудольф-Александр)
Давыдович.
1899—1938

Учился в Рижской художественной школе у В. Е. Пурвита в 1908—1913 гг. Жил в Москве с 1914 г. Член объединений „Бубновый валет" в 1915—1917 гг., „московские живописцы" в 1924—1925 гг., АХРР (1926), ОМХ в 1928—1932 гг., „Тринадцать" (1931), „Коммуны латвийских живописцев в Москве" в 1918—начале 1920-х гг., а также Международного бюро революционных художников в 1931—1935 гг. Преподавал во Вхутемасе—Вхутеине в Москве в 1920—1930 гг. Создал серии рисунков.
Писал пейзажи, портреты, жанровые и беспредметные картины. Полотна Древина – это живописные импровизации (художник принципиально не делал подготовительного рисунка на холсте), выражающие его мироощущение, настроение. Цвет и форма сильно обобщены с целью достичь большей выразительности. „Спуск на парашюте (Голубой вариант)" (1932) — одна из серии картин, выполненных по впечатлениям от поездки по Армении. Однако этнографические или какие-либо иные приметы Армении в этом произведении отсутствуют. Любой мотив преображался живописцем, склонным к лирической медитации. Древин достиг в картине интенсивного звучания голубого, лапидарности композиции, изображающей небо с белым пятном парашюта, силуэтами домов и черными провалами окон. В конце 1930-х гг. Древин пытался перейти к „реалистической" манере. При этом утратилась индивидуальность. Конформистские картины такого рода, по свидетельству очевидца, на выставкомах приветствовались аплодисментами („Девушка с полотенцем", 1937).

76. А.Д.Древин
Девушка с полотенцем. 1937

76. Alexander Drevin
Girl with a Towel. 1937

Перуцкий Михаил Семенович.
1892—1952

Учился в частной художественной школе Ю. Р. Бершадского в Одессе в 1908—1910 гг., в Одесском художественном училище у К. К. Костанди в 1909—1920 гг. (с перерывами). Посещал занятия во Вхутемасе в Москве в начале 1920-х гг. Член-учредитель НОЖ в 1921—1924 гг., член объединений „Бытие" в 1923—1927 гг., „Жизнь — творчество" (1924), ОСТ (1927). Работая инспектором Губнаробраза в Одессе в 1917—1919 гг., участвовал в создании изостудий для красноармейцев и рабочих, реорганизации Одесского художественного училища. Преподавал в МХУ и московской СХШ в 1944—1950 гг.
Занимался станковой и монументальной живописью, плакатом и книжной иллюстрацией. Писал портреты, пейзажи, натюрморты, жанровые и тематические картины. В 1919—1920 гг. заведовал мастерской агитплаката в Одессе, участвовал в выпуске „Окон ЮГРОСТА", в 1941—1946 гг. работал в „Окнах ТАСС". В конце 1930-х гг. писал монументально-декоративные панно для ВСХВ. Писал маслом и акварелью. Испытал влияние Костанди, восприняв от него любовь к решению сложных колористических задач, передаче световоздушной среды, пространства цветом; палитра Перуцкого на всем протяжении его творческого пути богато нюансирована. Девизом творчества художника могут быть слова из декларации НОЖ: „Мы понимаем реализм не как безличное, протокольное изображение жизни, а как творческую его переоценку, глубоко личное к ней отношение".
Родившись и проведя детство в местечке Славута Волынской губернии (ныне Каменец-Подольская область), изображал его часто с 1910 до 1950-х гг. По впечатлениям от Славуты написан и „Праздничный день в местечке" (1920-е гг.).

77. М. С. Перуцкий
Праздничный день в местечке. 1920-е гг.

77. Mikhail Perutsky
Holiday in a Small Town. 1920s

Адливанкин Самуил Яковлевич. 1897—1966

Учился в Одесском художественном училище у К. К. Костанди в 1912—1917 гг., в ГСХМ у В. Е. Татлина в 1918—1919 гг. Член-учредитель НОЖ в 1921—1924 гг., член „Изобригады" (1932). Участвовал в организации художественных учебных заведений в Самаре как сотрудник отдела ИЗО Наркомпроса в 1919—1921 гг. Наряду со станковой живописью занимался журнальной и газетной графикой (преимущественно в 1920-е гг.; в основном это сатирическая графика на темы нэпа), создавал плакаты (совместно с В. В. Маяковским), в конце 1920-х — начале 1930-х гг. выступал как художник книги. Писал портреты, пейзажи, произведения историко-революционной и бытовой тематики, монументальные панно. Адливанкин — один из наиболее ярких представителей НОЖ. В 1920-х гг. создал ряд полотен, с юмором отражающих быт Москвы периода нэпа в духе „иронического примитивизма", характерного для этого объединения. В начале 1930-х гг. сблизился с бывшими членами ОСТ, образовавшими „Изобригаду", вместе с ними работал над созданием положительных образов, стремясь к более полному отражению современности. С середины 1930-х гг. утрачивает прежнее своеобразие манеры.

Его картину „Трамвай Б" (1922), экспонировавшуюся на первой выставке НОЖ, можно считать программной для объединения. Авангард начала века опирался в известной мере на народное искусство, примитив, находя в нем ряд утраченных „ученым" искусством пластических достоинств. Примитивизм стал одним из заметных течений в русском искусстве 1910-х гг. В советский период он возродился как стиль, доступный, по мнению художников, широкому зрителю. Его приемы с успехом применялись также для создания сатирических, гротескных образов. Изображая бытовой эпизод (давку на трамвайной остановке), Адливанкин с подробной повествовательностью показал характерные, несколько шаржированные типы московской улицы начала 1920-х гг. Работа линеарно прорисована, плоскостна, колорит локальный и довольно плотный. В 1930-е гг., перейдя к созданию положительных современных образов, Адливанкин утратил своеобразную эмоциональную окраску ранних произведений, но черты примитива как особенность „современного стиля" еще сохранял до середины 1930-х гг. Работу „Состязание юных моделистов" (1931) можно считать переходной к обезличенной манере художника 1930—1950-х гг.

78. С. Я. Адливанкин
Трамвай Б. 1922

78. Samuil Adlivankin
Route "B" Tram. 1922

Семашкевич Роман Матвеевич. 1900—1937 (?)

Учился в частной школе Тарашкевича в Вильно (ныне Вильнюс), затем, переехав в СССР, в Художественном техникуме в Витебске в 1925—1927 гг., во Вхутеине в Москве у С. В. Герасимова и А. Д. Древина в 1927—1930 гг. Член объединения „Тринадцать" в 1930—1931 гг. Занимался живописью и графикой. Работы Семашкевича, одного из наиболее ярких и характерных художников группы „Тринадцать", отличаются непосредственностью восприятия и выразительностью образов; некоторые товарищи по объединению даже считали Семашкевича „самородком", „наивным художником", несмотря на полученное им художественное образование. Действительно, в работах художника не чувствуется ни академизма, ни какого-либо нарочитого приема. Вместе с тем, однако, произведения Семашкевича свидетельствуют не только о незаурядной одаренности, но и о высоком профессионализме, ощутимом в организации плоскости, смелых и гармоничных цветовых решениях.

„Чайная" (1930) — живо схваченный художником уголок современной ему Москвы, работавшим, в соответствии с установками „Тринадцати", всегда по впечатлениям от действительности, получая творческий импульс от самых обыденных мотивов. Стена чайной с окнами и вывеской, слегка намеченные фигуры прохожих — художнику важна динамика городской среды, переживание ее состояния.

79. Р. М. Семашкевич
Чайная. 1930

79. Roman Semashkevich
Tea House. 1930

Рыбченков Борис Федорович.
Род. 1899 г.

Заслуженный художник РСФСР (1970). Учился в Киевском художественном училище у Е. А. Праховой, Н. Н. Струнникова в 1914—1918 гг., в ПГСХУМ у Н. И. Альтмана и А. Т. Матвеева в 1920—1921 гг., во Вхутемасе в Москве у А. Д. Древина, Л. С. Поповой, А. В. Шевченко в 1912—1925 гг. Член объединений „Рост" (1928), „Тринадцать" в 1928—1931 гг., экспонент АХРР. Участвовал в праздничном оформлении городов в 1918—1926 гг., расписывал агитпоезда. Руководитель изостудии Пролеткульта в Смоленске в 1919 г. Организовал детскую изостудию № 1 Ленинградского района Москвы в 1960 г.

Писал преимущественно московские пейзажи. По словам В. А. Милашевского: „Москва Рыбченкова специфична. Художник не рисует Кремль, Большой театр — ему милей улички, прилегающие к Савеловскому вокзалу. Ему нравится в этом районе нечто такое, что нельзя полюбить и чем нельзя любоваться. Это самая безуютная часть города; обвеянные ветром улицы сжаты домами, враждебно смотрящими на случайного путника". Определяющим было влияние А. Д. Древина. В 1930-е гг. живопись Рыбченкова становится импрессионистичнее („За Бутырской заставой. Летний вечер", 1933), он увлекается передачей ночного освещения центральных улиц Москвы, в послевоенные же годы совершенно отходит от манеры 1920—1930-х гг., пишет парадно-декоративные виды Кремля, центральных улиц и площадей, сохраняя, однако, былую живописность. Непосредственность чувства возродилась в произведениях художника в 1980-е годы.

80. Б. Ф. Рыбченков
За Бутырской заставой. Летний вечер. 1933

80. Boris Rybchenkov
Beyond the Butyrskaya Outpost. Summer Evening. 1933

81. А.Д.Древин
Спуск на парашюте (Голубой вариант). 1932

81. Alexander Drevin
Parachuting (Blue Version). 1932

82. С.Я.Адливанкин
Состязание юных моделистов. 1931

82. Samuil Adlivankin
Modellists' Competition. 1931

**Лабас Александр Аркадьевич.
1900—1983**

Учился в СЦХПУ в Москве у С. В. Ноаковского, Д. А. Щербиновского в 1912—1917 гг., в частных студиях В. И. Мушкетова в Смоленске в 1908 г., Ф. И. Рерберга и И. И. Машкова в Москве в 1916 г., в ГСХМ в Москве у П. П. Кончаловского в 1917—1919 гг., Вхутемасе в Москве у Д. П. Штеренберга в 1921—1924 гг. Член-учредитель ОСТ в 1925 г. Преподавал в Екатеринбургском художественном институте в 1920—1921 гг., в Вхутемасе в Москве в 1922—1924 гг. (ассистент профессора К. Н. Истомина). Лабас находился в действующих частях Красной Армии на Дальнем Востоке в качестве художника Политотдела 3-й армии Восточного фронта в 1919—1920 гг. Работал в области станковой, театрально-декорационной и монументально-декоративной живописи (панно, панорамы и диорамы). Автор графических серий. Писал картины на темы транспорта, строительства и спорта, портреты, пейзажи, натюрморты. Придерживаясь тематики, обычной для ОСТ, заметно отличался по манере близостью Р. Дюфи: в центре внимания художника не предмет, а среда, вибрирующая, передающая движение (часто беспорядочное, „броуновское") содержащихся в ней элементов, однако не импрессионистическая; рисунок очень обобщенный, контурно-плоскостный, но границы контура часто нарушены, цветовые пятна с ними не совпадают — это позволяет передать как проникновение в предмет, слияние с ним „среды", так и процесс движения. Лабас выбирал темы, которые требовали подчеркивания динамики — прежде всего „транспортные". Писал Паровозы, пароходы, автомобили и трамваи, метро, но больше всего — дирижабли и аэропланы, которые мыслились символами прогрессивной современности и даже посланцами будущего („Дирижабль", 1931). До последних дней жизни художник сохранил манеру и увлечения 1920-х гг., продолжая работать над темой авиации, которую воспринимал романтически. Он писал в конце жизни: „Я люблю работать с натуры, когда все в движении. Невольно поднимаю голову и вижу — набирает высоту созданная человеком чудесная птица — большой воздушный корабль с огромным количеством пассажиров, и рев его мощных моторов настойчиво напоминает, что мы живем в 70-х годах XX века".

83. А. А. Лабас
Дирижабль. 1931

83. Alexander Labas
Dirigible. 1931

Штеренберг Давид Петрович.
1881—1948

Заслуженный деятель искусств РСФСР (1930). Учился в АХ в Вене, в Школе изящных искусств в Париже и в Академии Витти у А. Мартена, К. Ван Донгена и Э. Англады в 1906—1912 гг., участвовал на выставках в Париже в 1912—1917 гг., в Берлине в 1922 г. Член-учредитель и председатель ОСТ в 1925—1930 гг. Преподавал во Вхутемасе—Вхутеине в Москве, профессор в 1920—1930 гг. Заведующий отделом ИЗО Наркомпроса в 1918—1920 гг. Писал портреты, натюрморты, жанровые сцены. Занимался также книжной графикой и театрально-декорационным искусством. Начав в 1910-е гг. с увлечения кубизмом, выработал к 1920-м гг. собственный стиль, в котором уплощение любого предмета, культ плоскости доходит до такой степени, что появляется возможность имитировать фактуру изображенных объектов, иногда наклеивая на холст, например, фанеру. Колорит сугубо локален, линия подчеркивает контур, глубина пространства — минимальна, практически отсутствует („Стол. Подковка“, 1919). Те поверхности, которые должны, согласно прямой перспективе, уходить в глубину, выворачиваются на плоскость. Манера Штеренберга заметно повлияла на стилистику ОСТ.

84. Д.П.Штеренберг
Стол. Подковка. 1919

84. David Sterenberg
Table. Horse-shoe. 1919

Дейнека Александр Александрович. 1899—1969

Заслуженный деятель искусств РСФСР (1945), народный художник СССР (1963), действительный член АХ СССР (1947), вице-президент в 1962—1966, член-корреспондент Академии искусств ГДР (1964), лауреат Ленинской премии (1964), Герой Социалистического Труда (1969). Учился в Харьковском художественном училище у М. Р. Пестрикова и А. М. Любимова в 1915—1917 гг., во Вхутемасе в Москве у В. А. Фаворского и И. И. Нивинского в 1920—1925 гг. Член-учредитель ОСТ (1925—1927), объединения „Октябрь" (1928—1930), РАПХ (1931—1932). Преподавал во Вхутеине в Москве в 1928—1930 гг., МПИ в 1928—1934 гг., МХИ в 1934—1946 гг. и в 1957—1964 гг., МИПИДИ в 1945—1952 гг., в МАРХИ в 1953—1957 гг. Много работал в книжной, журнальной, станковой графике, плакате (особенно в 1920-е гг.), монументальной и станковой живописи. Писал картины на индустриальную, спортивную, историко-революционную и жанровую темы, а также исторические и батальные полотна, портреты, пейзажи и натюрморты. „Графичность" живописных работ Дейнеки, передача обширных плоскостей одним цветом, плакатность и монтажность композиций, их „лозунговое" содержание явственно обнаруживают подготовку, полученную на графическом отделении Вхутеина. Менее всего портретист, Дейнека игнорировал индивидуальные черты личности, наделяя свои персонажи признаками культивируемого им некоего „молодеческого" военно-спортивного типа („Бег", 1932—1933). Его тематические картины отличаются пафосностью и экспрессивностью трактовки. Несколько лиричнее жанровые работы 1930-х гг., а также пейзажи и натюрморты („Сухие листья", 1929).

85. А. А. Дейнека
Пейзаж. 1929

85. Alexander Deineka
Landscape. 1929

86. А.А.Дейнека
Сухие листья. 1933

86. Alexander Deineka
Dry Leaves. 1933

87. А.А.Дейнека
Бег. 1932—1933

87. Alexander Deineka
Running. 1932—33

Лучишкин Сергей Алексеевич.
Род. в 1902 г.

Учился в Московских государственных свободных художественных мастерских у А. Е. Архипова в 1919 г., в ГСХМ—Вхутемасе в Москве у Л. С. Поповой, А. А. Экстер, Н. А. Удальцовой в 1919—1924 гг. Член-учредитель ОСТ в 1925—1928 гг. Художественный руководитель и режиссер московского Проекционного театра с 1923 г. Выступал также как актер.
Писал жанровые сцены, городской пейзаж, с 1930-х гг. разрабатывал преимущественно спортивную тему. В ряде произведений 1920-х гг. приближался к стилистике немецкой „новой вещественности", например, в бесспорно выдающейся своей работе „Шар улетел" (1926), выполненной под явным воздействием творчества Г. Гросса. Поскольку Лучишкин живописью занимался нерегулярно, созданные им полотна неровны по качеству. Так, многие композиции на тему праздников, спорта излишне дробны („Лыжники", 1926). В произведениях последних десятилетий вообще теряются активность композиции, былая острота художественных средств и образная выразительность.

88. С. А. Лучишкин
Лыжники. 1926

88. Sergei Luchishkin
Skiers. 1926

Пименов Юрий (Георгий) Иванович. 1903—1977

Народный художник СССР (1970), действительный член АХ СССР (1962), лауреат Государственных премий СССР (1947, 1950), лауреат Ленинской премии (1967).
Учился во Вхутемасе в Москве у В. А. Фаворского, В. Д. Фалилеева, С. В. Малютина, М. Ф. Шемякина, Д. Н. Кардовского в 1920—1924 гг. Член-учредитель ОСТ в 1925—1931 гг., „Изобригады" (1932). Преподавал в Институте повышения квалификации художников-живописцев в Москве в 1936—1937 гг., на художественном факультете ВГИКа в 1945—1972 гг., профессор с 1947 г.
Занимался живописью (станковой, монументальной, театрально-декорационной), графикой (станковой, журнальной). Писал картины на темы города — бытовые, индустриальные, а также натюрморты, пейзажи. В 1920-е гг. работал вполне в духе ОСТ, в манере, близкой Д. П. Штеренбергу, соприкасаясь и с немецким искусством 1920-х гг. („Инвалиды войны", 1926). В 1930-е гг. живопись Пименова „импрессионизируется" („Портрет Вали Терешкович", 1937), сюжеты из фундаментальных (типа „Даешь тяжелую индустрию!", 1927) превращаются в фиксацию мимолетностей. Если в 1930-е гг., при новой манере, еще сохраняются некоторая монументальность композиции и обобщенность сюжета („Новая Москва", 1937), то в послевоенное время изображаются лишь разные „случайности", отражающие суету городской (московской) жизни. Репортажный характер живописи („лирический репортаж"), программное нераскрытие темы в одной работе приводит к созданию серий („Рассказы о москвичах", 1937; „Новые кварталы", 1963—1964). До последних лет жизни Пименов сохранил оптимистический пафос урбанизма, неустанно воспевая молодость и новизну.

89. Ю. И. Пименов
Портрет Вали Терешкевич. 1937

89. Yuri Pimenov
Portrait of Valya Tereshkevich. 1937

90. Ю. И. Пименов
Инвалиды войны. 1926

90. Yuri Pimenov
War Invalids. 1926

Гончаров Андрей Дмитриевич.
1903—1979

Заслуженный деятель искусств РСФСР (1969), народный художник РСФСР (1971), член-корреспондент АХ СССР (1972), лауреат Государственной премии СССР (1973).
Учился в частных студиях и в ГСХМ — Вхутемасе — Вхутеине в Москве у В. А. Фаворского, П. Я. Павлинова, И. И. Машкова и А. В. Шевченко в 1918—1927 гг. Член-учредитель ОСТ в 1925—1932 гг. Преподавал в МПИ и МИПИДИ с 1927 г., с 1958 г. профессор. В основном занимался книжной иллюстрацией (ксилография), работал также в области станковой графики, театрально-декорационной и монументальной живописи, начав самостоятельную творческую деятельность в качестве живописца-станковиста. В дальнейшем постоянно обращался к этому роду искусств. Писал исторические и жанровые полотна (преимущественно в 1920-е гг.), портреты, пейзажи и натюрморты. В ранних произведениях — типичный представитель ОСТ: графичность манеры, локальность колорита, продуманная сочиненность композиции, „сделанность" формы. Однако сюжеты его своеобразны: он избегал индустриальной тематики, обращался к историческим мотивам, иногда перефразируя известные классические произведения („Смерть Марата", 1927; „Клятва в зале для игры в мяч", 1927—1928). Если ранние полотна отмечены явным воздействием Фаворского, вниманием к пространственным построениям по принципу рельефа (традиция А. Гильдебранда — „Шарманщик", 1926), то в 1930-е гг. писал в декоративной плоскостной манере, свидетельствующей о принципиальном переходе от объемного к чисто живописному видению („Интерьер с фигурой за столом", 1934). В его позднем творчестве можно усмотреть отдаленную связь с фовизмом. В противовес сумрачному колориту ранних работ — ликующие, звонкие краски полотен 1950—1960-х гг.

91. А.Д.Гончаров
Интерьер с фигурой за столом. 1934

91. Andrey Goncharov
Interior with a Figure at a Table. 1934

Вильямс Петр Владимирович.
1902—1947

Заслуженный деятель искусств РСФСР (1944), лауреат Государственных премий СССР (1943, 1946, 1947).
Учился в частной студии В. Н. Мешкова в 1909—1918 гг., в ГСХМ — Вхутемасе в Москве у К. А. Коровина, И. И. Машкова, П. П. Кончаловского и Д. П. Штеренберга в 1919—1923 гг. Посетил Германию и Италию в 1928 г. Член-учредитель ОСТ (1925—1931). Заведующий Музеем живописной культуры в Москве в 1920-е гг., главный художник ГАБТ с 1941 г.
С середины 1930-х гг. работал преимущественно как театральный художник. Писал также портреты, историко-революционные картины, урбанистические пейзажи. В ранних работах Вильямса заметно много общего с произведениями других мастеров ОСТ — элементы конструктивизма (композиционный монтаж и геометризация объемов), „новой вещественности" (сделанность формы и локальность цвета). В отличие от остовцев большое внимание уделял колориту, много и успешно работал в портрете. В конце 1930-х гг., пытаясь усвоить пленэр, утратил индивидуальность манеры в станковой живописи и обращался к ней лишь изредка. В 1920-е гг. Вильямс создал ряд портретов театральных деятелей (артистов С. А. Мартинсона, 1922; А. Ахманицкой („Акробатка"), 1926 и другие), из которых наиболее замечателен портрет В. Э. Мейерхольда (1925). Подобно тому как в портрете Мейерхольда отразились эстетические пристрастия изображаемого, стилистика портрета К. С. Станиславского (1933) в известной мере обусловлена установками, царившими во МХАТ, где в 1930-е гг. начал успешно работать Вильямс, получив широкую известность оформлением спектакля „Пиквикский клуб" в 1934 г. В портрете К. С. Станиславского большое внимание художник уделил передаче характера персонажа. Вместе с тем приходится сожалеть об утрате былой остроты пластических решений.

92. П. В. Вильямс
Портрет К. С. Станиславского. 1933

92. Pyotr Williams
Portrait of Konstantin Stanislavsky. 1933

Тышлер (Джин-Джих-Швиль)
Александр Григорьевич.
1898—1980

Заслуженный деятель искусств Узбекской ССР (1943), лауреат Государственной премии СССР (1946).
Учился в Киевском художественном училище у А. В. Прахова, А. И. Монастырского, Н. И. Струнникова, И. Ф. Селезнева в 1912—1917 гг., в студии А. А. Экстер в Киеве в 1917—1919 гг., во Вхутемасе в Москве у В. А. Фаворского в 1921—1923 гг. Член ОСТ в 1925—1932 гг.
Занимался станковой живописью и графикой (автор серий рисунков „Махновщина", 1922—1965; „Фашизм", 1966—1968). Крупный мастер театрально-декорационного искусства, творчески переосмыслил сценическое оформление народного театра. В искусстве Тышлера проявилась романтическая тенденция, он часто обращался к гротеску, изобразительной метафоре, создавая свой фантастический, театрализованный мир („Монах и девушка", 1938). В живописи используется принцип „малого пространства", что, с одной стороны, позволяет достигать пластической остроты, декоративности решений и вместе с тем дает свободу фантазии художника, пластически убедительно соединяющего в „малом пространстве" реально не соединимые элементы, но эти фантастические связи отвечают мироощущению художника, его представлению не о видимой, а о постигаемой реальности.

93. А. Г. Тышлер
Монах и девушка. 1938

93. Alexander Tyshler
Monk and a Girl. 1938

94. А.Г.Тышлер
Юные красноармейцы читают газеты. 1936

94. Alexander Tyshler
Young Soldiers of the Red Army Reading a Newspaper. 1936

Ивановский Иван Васильевич. 1905—1980

Учился во Вхутемасе—Вхутеине в Москве у Д.П.Штеренберга и С.В.Герасимова в 1925—1930 гг. Член ОСТ в 1928—1930 гг. Занимался станковой и монументальной живописью, писал маслом и акварелью. В основном работал в пейзаже, но выполнял также жанровые сцены и портреты.
В ранний период увлекался творчеством О.Домье („Кумушки", 1930-е гг., „Прачки", конец 1920-х гг.), контрастно выделяя освещенные фигуры на темном фоне. С середины 1930-х гг. ежегодно летом жил в Васильсурске на Волге, писал с натуры светлые, декоративные пейзажи, лаконичные по цвету и довольно рационалистичные по построению (отношение двух-трех пятен цвета, линии тяготеют к вертикалям и горизонталям, подчеркнуто геометризированный рисунок); при этом фигуры, предметы изображаются в виде темного силуэта на светлом фоне, что усиливает пространственность пейзажа. В конце 1930-х — 1950-х гг. написал ряд композиций на тему „Материнство". В 1930-х гг. работал над монументально-декоративными панно для ВСХВ. В послевоенные годы неоднократно путешествовал вместе с Г.Г.Нисским на яхте по водохранилищам Подмосковья, работая на пленэре и по впечатлением от этих поездок над пейзажами, которые созвучны теме и манере Нисского.

95. И.В.Ивановский
Прачки. Конец 1920-х гг.

95. Ivan Ivanovsky
Laundresses. Late 1920s

Козлов Александр Николаевич.
1902—1946

Учился в ГСХМ—Вхутемасе в Москве в 1918—1925 гг., член ОСТ (1925—1927). Преподавал в Институте повышения квалификации художников при Наркомпросе в 1939—1940 гг. Занимался станковой живописью, графикой, создавал эскизы костюмов и декорации для театра. Писал пейзажи, натюрморты, портреты, тематические картины („Восстание", 1929—1931; „Дуэль Пушкина", 1940—1945, не окончена). Исполнил ряд графических серий („Музыканты", 1935—1937 и другие), рисовал пером и тушью трепетной, живой, эмоциональной линией, без какого-либо светотеневого разбора. Живопись также светлая, воздушная, вибрирующий мазок передает не предмет, а среду („Москва. Парк культуры и отдыха", 1935).

96. А.Н.Козлов
Москва. Парк культуры и отдыха. 1935

96. Alexander Kozlov
Moscow. Park of Culture and Rest. 1935

Соколов Михаил Ксенофонтович. 1885—1947

Учился в СЦХПУ у Г. И. Ягужинского и архитектора С. В. Ноаковского в Москве в 1904—1917 гг. Экспонент „Мира искусства". Преподавал в Свободных художественных мастерских в Твери в 1920—1922 гг., Ярославля в 1919 г., в мастерской ИЗО Пролеткульта в Москве в 1923—1925 гг., в МХУ в 1925—1935 гг., в Институте повышения квалификации художников-живописцев и оформителей в Москве в 1936—1938 гг., руководитель кружка ИЗО в Доме пионеров Рыбинска в 1943—1947 гг. Был незаконно репрессирован, в 1939—1943 гг. находился в Сибири (станция Тайга).
Занимался книжной и станковой графикой (ряд циклов рисунков, иллюстрации к „Орлеанской деве" Вольтера). Писал пейзажи (преимущественно городские), портреты, натюрморты. Увлекался искусством В. Ван-Гога и импрессионистов. Творчеству Соколова присущи лирическая живописность, фантазия, эмоциональность, камерность, импульсивная манера. В 1930-е гг., во время господствующего в советской живописи пафоса индустриализации, строительства „новой Москвы", избирал мотивы „старой Москвы", явно ими любуясь („Пейзаж с красной церковью", б.г.). Очень тонкий и насыщенный колорит, камерность и некоторая ретроспективность живописи сближают его с „Маковцем", а фантастический и театральный мир графики, эмоциональность образов — с графикой А. Г. Тышлера и А. В. Фонвизина. В конце 1910-х — начале 1930-х гг. в его рисунках заметно увлечение приемами кубофутуризма. Темой графических циклов избирал исторические события, романтически воспринимая прошлое, находясь под обаянием французской литературы (циклы „Французская революция", „Святой Себастьян", „Страсти", отмеченные драматизмом, „Цирк", „Прекрасные дамы", „Всадники").

97. М. К. Соколов
Пейзаж с красной церковью. Б.г.

97. Mikhail Sokolov
Landscape with a Red Church. Undated

Карев Алексей Еремеевич.
1879—1942

Учился в Пензенском художественном училище им. Н. Д. Селиверстова у К. А. Савицкого в 1898—1901 гг., в Боголюбовском рисовальном училище в Саратове у В. В. Коновалова в 1897—1898 гг., в Киевской частной художественной школе в 1901—1902 гг. Член объединений „Мир искусства" в 1917—1924 гг., „Четыре искусства" в 1926—1932 гг. Участник выставок „Венок" („Стефанос") в 1908 г., „Золотое руно" в 1908—1909 гг. Организатор и преподаватель Саратовских государственных свободных художественных мастерских в 1920—1921 гг., комиссар ПГСХУМ в 1918 г., руководитель мастерской живописи в 1921—1922 гг., профессор ВХТУЗа—Вхутемаса—Вхутеина — ИЖСА ВАХ в Ленинграде в 1922—1936 гг., преподаватель в СХШ при ИЖСА ВАХ в 1936—1937 гг. Член Коллегии отдела ИЗО Наркомпроса, заведующий педагогической секцией коллегии. Писал пейзажи (преимущественно ленинградские), натюрморты, декоративные панно, реже — портреты. Участвовал в оформлении массовых праздников в Петрограде и Саратове. Испытал влияние творчества В. Э. Борисова-Мусатова. Был дружен с саратовцами П. С. Уткиным, П. В. Кузнецовым, А. Т. Матвеевым, Б. М. Миловидовым и другими. В раннем творчестве заметны отголоски стиля модерн. Стремление к обобщенности цвета, декоративности композиции пройдет через все творчество Карева. Особое внимание уделял проблеме цвета, исследовал ее и как теоретик. Существенно повлиял на развитие школы ленинградского пейзажа в 1930—1950-е гг.

Живописный язык Карева лапидарен, колорит строится на двух-трех отношениях больших пятен. Как всегда, в „Андреевском рынке (Городской пейзаж)" (1930-е гг.) особенно внимательно разработаны и звучны холодные цвета — синие и голубые.

98. А.Е.Карев
Андреевский рынок (Городской пейзаж). 1930-е гг.

98. Alexey Karyov
Andreyevsky Market (Townscape). 1930s

99. А. А. Карев
Первомайская демонстрация. 1926

99. Alexey Karyov
May-Day Manifestation. 1926

Русаков Александр Исаакович.
1898—1952

Учился в художественной школе Е. Н. Званцевой в Петербурге у М. Н. Игнатьева, в ПГСХУМ—Вхутемасе—Вхутеине у Н. Н. Дубовского, Д. Н. Кардовского, А. Е. Карева, О. Э. Браза в 1918—1924 гг. Член „Общины художников" в 1924—1927 гг., „Круга художников" в 1925—1929 гг.
Писал преимущественно ленинградские пейзажи, в том числе в годы блокады, а также натюрморты, портреты, реже — жанровые сцены („Монтер", 1928 (?). Определяющим было влияние Карева. Пейзажи Русакова близки работам Н. Ф. Лапшина, А. С. Ведерникова, В. В. Пакулина. Предпочитает обыденные, на первый взгляд, непривлекательные мотивы. Живописи Русакова соответствует выражение В. А. Фаворского „монументальный лиризм". Композицию строит на декоративных пятнах свободно и широко положенной краски, передает непосредственное ощущение мотива, как бы не заслоненное академической выучкой.

100. А.И.Русаков
Монтер. 1928 (?)

100. Alexander Rusakov
Elextrician. 1928 (?)

Пакулин Вячеслав Владимирович. 1900—1951

Учился в ЦУТР в 1916—1917 гг. и у В. В. Лебедева там же в 1920—1922 гг., во Вхтузе—Вхутемасе в Ленинграде у А. Е. Карева и А. И. Савинова в 1922—1925 гг. Член бюро секции ИЗО облотдела Ленинградского Союза работников искусств с 1925 по 1929 гг. Член-учредитель и председатель объединения „Круг художников" в 1926—1932 гг. Занимался театрально-декорационной живописью в 1920—1929 гг. В 1920-е гг. стремился к выработке нового стиля станковой живописи, что в его творчестве выражалось в монументализации формы и образа, обострения художественных средств („Жница", 1926—1927; „Матросы (В кабачке)", 1929 (?). Испытал заметное воздействие своего учителя А. Е. Карева. С 1930-х гг. разрабатывал индустриальную тему (пейзаж и интерьер), писал пейзажи. Особенно значителен цикл пейзажей, выполненных в Ленинграде в годы войны. Стилистически эти работы близки пейзажам А. Е. Карева, Н. Ф. Лапшина, А. И. Русакова, А. С. Ведерникова, В. А. Гринберга.

101. В. В. Пакулин
Матросы. (В кабачке). 1929

101. Vyacheslav Pakulin
Sailors (In a Pub). 1929

Гринберг Владимир Ариевич.
1896—1942

Учился в частной школе у О. Э. Браза, М. В. Добужинского и А. Е. Яковлева в Петрограде в 1915—1917 гг. Экспонент „Мира искусства“, АХРР, „Шестнадцати“. Преподавал в художественной школе и рабочем университете в Ростове-на-Дону в 1919—1922 гг., на кафедре рисунка в ЛИИКС в 1922—1941 гг.
Писал в основном пейзажи Ленинграда, а также портреты и натюрморты. Получил первую премию в конкурсе на памятник А. С. Пушкина для села Михайловского в 1924 г. Манера письма Гринберга близка живописи участников „Круга художников“.
В начале 1930-х гг. в Ленинграде открылось четыре фабрики-кухни — общественные здания новой функции, построенные в стиле конструктивизма. Эти сооружения были характерной приметой времени и привлекли художника. В центре пейзажа Гринберга „фабрика-кухня на Васильевском острове“ (1935) — массив нового сооружения. Его плотный темно-серый силуэт „держит“ композицию. Используя приемы, родственные живописи парижского цикла А. Марке, художник создал пейзаж настроения, изобразив весьма скромный по архитектуре участок Большого проспекта Васильевского острова с одинокими фигурками прохожих.

102. В. А. Гринберг
Фабрика-кухня на Васильевском острове. 1935

102. Vladimir Grinberg
"Cooking Factory" in Vasilyevsky Island in Leningrad. 1935

Ведерников Александр Семенович.
1898—1975

Учился в Свободных художественных мастерских — Нижегородском государственном художественном техникуме у А. В. Куприна и А. В. Фонвизина в 1921—1925 гг., во Вхутемасе — Вхутеине в Ленинграде у О. Э. Браза и А. Е. Карева в 1924—1928 гг., а также у П. Н. Филонова. Член объединения „Круг художников“ в 1928—1930 гг., входил в группу МАИ во второй половине 1920-х гг. Преподавал в ИЖСА ВАХ в 1936—1937 гг., в ЛИИКС в 1937—1941 гг., в ЛИСИ с 1945 г.
Писал пейзажи (в основном ленинградские), натюрморты, а в 1920-е гг. — жанровые полотна. Работал преимущественно в графических техниках (карандашный рисунок, акварель, цветная литография). В годы пребывания в МАИ написал в духе творчества Филонова большое полотно „Рабочий, сидящий за столом“, в котором „сделанность“ и точечную манеру, культивировавшуюся в МАИ, соединил со сферической перспективой К. С. Петрова-Водкина, большое внимание уделив модуляции синего, что, по-видимому, объясняется воздействием А. Е. Карева. В дальнейшем работал в обобщенно-декоративной манере, восходящей к фовизму; в ленинградских пейзажах заметно увлечение живописью А. Марке. Ведерников охотно обращался к изображению берегов Невы, водной поверхности, тумана. Это пейзажи очень близки работам ленинградских художников В. А. Гринберга, В. В. Пакулина, А. И. Русакова. Скромный мотив, подчеркнуто обыденное состояние города поэтизируются переживанием автора, создающего камерный лирический образ. В работе „Тучков мост“ (1935) особенно привлекают изысканность колорита, искусная передача световоздушной среды и тональных отношений.

103. А.С.Ведерников
Тучков мост. 1935

103. Alexander Vedernikov
Tuchkov Bridge. 1935

Лапшин Николай Федорович.
1868—1942

Учился в ЦУТР и Рисовальной школе ОПХ в Петербурге. Член Объединения новых течений в искусстве (1919—1922). Преподавал в Полиграфическом техникуме и во Вхутемасе—ИЖСА ВАХ на графическом факультете в Ленинграде с 1929 г.
Занимался станковой живописью, преимущественно ленинградским пейзажем, станковой графикой (акварель, цветная автолитография) и с особым успехом книжной графикой. В 1932 г. победил в конкурсе нью-йоркского издательства на иллюстрирование книги „Путешествие Марко Поло". В пейзаже испытал влияние А. Марке („Переход через Неву", 1935), в свою очередь воздействовал на формирование ленинградской пейзажной живописи 1920—1930-х гг., особенно на пейзажистов, ранее состоявших в объединении „Круг художников".

104. Н.Ф.Лапшин
Переход через Неву. 1935

104. Nikolai Lapshin
Crossing the Neva. 1935

105. Б.Н.Ермолаев
Улица в Володарском районе. 1935

105. Boris Yermolayev
Street in Volodarsky District. 1935

Ермолаев Борис Николаевич. 1903—1982

Учился в Художественно-промышленном техникуме в Петрограде — Ленинграде у В. Н. Федоровича и М. И. Авилова в 1921—1925 гг. Член „Общины художников" — „Цеха художников" в 1923—1932 гг. В 1927—1934 гг. много занимался газетной и журнальной графикой, сотрудничая в различных ленинградских изданиях, иллюстрировал детские книги. В 1920—1930-х гг. выполнил значительное количество рисунков с натуры, предпочитая изображать индустриальные окраины Ленинграда. С конца 1920-х гг. увлекся масляной живописью, писал в мастерской, используя натурные рисунки („Улица в Володарском районе", 1935). Испытал влияние творчества Н. Пиросманашвили, выставка которого состоялась в ГРМ в 1930 г., школы А. Г. Венецианова и „малых голландцев". В конце 1920-х — первой половине 1930-х гг. в работе над ленинградским пейзажем, портретами краснофлотцев, предпочитал охристо-зеленоватую красочную гамму, широко вводил также черный цвет. После поездки на юг (1936—1937 гг.) перешел к интенсивной светлой палитре с доминирующим звучанием красных, желтых, голубых,. Начиная с 1940-х гг. работал в основном в технике цветной литографии, тяготел к символически обобщенной образности, „вечным" темам.

Френц Рудольф Рудольфович. 1888—1966

Учился в ВХУ при АХ у В. Е. Савинского и Н. С. Самокиша в 1909—1918 гг. Член-учредитель „Общины художников" (1922). Экспонент АХРР в 1929—1932 гг. Посетил Англию, Францию, Италию (1912). Преподавал в ленинградском Вхутеине—ИЖСА им. И. Е. Репина в 1929—1956 гг., профессор с 1939 г., руководитель батальной мастерской с 1934 г. Руководил агитплакатной мастерской ленинградского Декоративного института Наркомпроса с 1919 по 1925 г. Писал батальные, историко-революционные, жанровые картины, городские пейзажи. Занимался театрально-декорационной живописью, в 1920-х гг. участвовал в праздничном оформлении Петрограда—Ленинграда и создании диорам на батальные сюжеты. Декоративно-графичная манера Френца, которую отличали четкость силуэта, локальность и насыщенность цвета, несколько условная конструктивность рисунка, начиная с 1930-х гг., вытесняется традиционным пленэрным письмом. Пейзаж „Крюков канал" (1920-е гг.) принадлежит к числу лучших работ Френца периода расцвета его творчества в 1910-е — 1920-е гг. Отношение к рисунку, цвету и композиции роднит его с живописью Б. Д. Григорьева, но отличается большим колоризмом.

Суков Владимир Всеволодович. 1866—1942

Систематического художественного образования не получил. Пользовался советами О. Э. Браза, К. А. Коровина, Б. И. Анисфельда, С. Ф. Колесникова. В 1910—1911 гг. посетил Италию, Францию, Германию, Англию. Преподавал в художественной школе на Таврической улице в Петербурге.
Писал преимущественно ленинградские пейзажи, а также натюрморты и портреты. Испытал влияние К. А. Коровина, увлекался живописью П. Сезанна, В. Ван-Гога, французских импрессионистов. Работал всегда с натуры, даже над полотнами большого формата. Часто варьировал один мотив (например, набережные). Для манеры Сухова характерны раздельный, энергичный мазок, крупный формат работ, декоративное решение, при котором не пятно, а мазок играет конструктивную, определяющую роль; собранный, часто построенный на оттенках лилового, чуть приглушенный колорит („Лодки у Летнего сада“, 1930).

106. В. В. Суков
Лодки у Летнего сада. 1930

106. Vladimir Sukov
Boats Near the Summer Gardens. 1930

107. Р. Р. Френц
Крюков канал. 1920-е гг.

107. Rudolf Frentz
Kryukov Canal. 1920s

кое построение пространства, при котором соединяются разновременные и „разнопространственные", не видимые с одной точки зрения предметы и эпизоды в единое, ритмически организованное на плоскости композиционное целое. В советское время писал картины на историко-революционные и жанровые сюжеты, осмысляя свершившиеся события с позиции вечных ценностей, вселенских категорий („Землетрясение в Крыму", 1927—1928). В 1930-е гг. постепенно отходил от своих концепций („Семья командира", 1936).

108. К.С.Петров-Водкин
Портрет Н.А. (Женский портрет). Б.г.

108. Kuzma Petrov-Vodkin
Portrait of N. A. (Portrait of a Woman). Undated

Петров-Водкин Кузьма Сергеевич. 1878—1939

Заслуженный деятель искусств РСФСР (1930). Учился в классах живописи и рисования в Самаре у Ф.Е.Бурова в 1893—1896 гг., в ЦУТР в 1895—1897 гг., в МУЖВЗ у Н.А.Касаткина, А.Е. Архипова, В.А.Серова в 1897—1904 гг., в студии А.Ашбе в Мюнхене в 1901 г., в частных академиях в Париже в 1905—1908 гг. Член обьединений „Мир искусства", „Жар-цвет" (1924), „Четыре искусства" (1925—1929), АХРР (1929). Преподавал в школе рисования и живописи Е.Н.Званцевой в Петербурге в 1910—1915 гг., в ПГСХУМ—ИЖСА ВАХ в 1918—1933 гг. (профессор). В 1900-е гг. много путешествовал по Европе, посетил Северную Африку. Был в Средней Азии (1921), Крыму (1927), на Кавказе (1933). Повторно посетил Францию в 1924—1925 гг. Занимался станковой и театрально-декорационной живописью, графикой (станковой и журнальной, книжной). Теоретик искусства и беллетрист. Писал аллегорические и символические композиции, картины на историко-революционные, батальные и бытовые темы, портреты, пейзажи и натюрморты.
Участвовал в оформлении революционных празднеств в Петрограде. В раннем творчестве, связанном с немецким и французским искусством символизма и модерна, а также с непосредственным воздействием В.Э.Борисова-Мусатова, обнаруживаются также неоклассические черты. В дальнейшем монументализирует форму, делая ее в то же время как бы невесомой, парящей в „неэвклидовом" пространстве, насыщая декоративным, локальным цветом (применяя „трехцветку" — то есть построение колорита на трех доминирующих основных цветах), в чем можно усмотреть опору на древнерусскую иконопись и дорафаэлевскую монументальную живопись. Разработал так называемую „сферическую перспективу", которую точнее было бы именовать „умозрительной" или „отсутствующей" перспективой, ибо это та-

109. К.С.Петров-Водкин
Семья командира. 1936

109. Kuzma Petrov-Vodkin
Family of a Military Leader. 1936

110. К.С.Петров-Водкин
Землетрясение в Крыму. 1927—1928

110. Kuzma Petrov-Vodkin
Earthquake in the Crimea. 1927—28

Бибиков Георгий Николаевич. 1903—1976

Учился в Омском художественно-промышленном училище в 1920—1925 гг. и во Вхутеине — ИНПИИ в Ленинграде у К. С. Петрова-Водкина в 1926—1930 гг.
Работал в области театрально-декорационной живописи, дизайна. В 1930-е гг. писал преимущественно картины на темы индустриализации, Красной Армии; начиная с 1950-х гг. — пейзажи и портреты. Воздействие метода К. С. Петрова-Водкина особенно заметно в ранних произведениях художника. По-видимому, до 1940-х гг. Бибиков не писал этюдов. Его картины 1930-х гг. сочинены, чужды пленэру, в них преобладает рисунок, крупная форма, колорит строится на сочетаниях локальных пятен, но в отличие от Петрова-Водкина Бибиков избегает знаменитой „трехцветки". В дальнейшем индивидуальная манера художника нивелируется, и он перестает работать над сложными тематическими полотнами. Тема воздухоплавания была чрезвычайно привлекательной для молодых художников 1920—1930-х гг. Она олицетворяла технический прогресс и растущую военную мощь страны. В раннем и наиболее удачном произведении Бибикова „Стратостат Осоавиахим" (1935) проявились характерные черты выпускника мастерской Петрова-Водкина — монументальность композиции, обобщенность и отчетливость рисунка. Аскетический колорит соответствует серьезности изображенного момента, некоторой тревожности и сдержанности переживаний персонажей.

111. Г. Н. Бибиков
Стратостат „Осоавиахим". 1935

111. Georgy Bibikov
The Osoaviakhim Baloon. 1935

Ионин Николай Александрович.
1890—1948

Учился в Рисовальной школе ОПХ у А. А. Рылова в 1908—1912 гг. В ВХУ при АХ вольнослушателем у Д. Н. Кардовского у 1913—1917 гг., во ВХТУЗе у К. С. Петрова-Водкина и Кардовского в 1921—1922 гг., на курсах повышения квалификации ИЖСА ВАХ у К. С. Петрова-Водкина в 1924—1926 гг. Член „Общины художников" (1928).
Живописец, график, работал также в области театрально-декорационного искусства. Писал пейзажи, натюрморты, портреты, тематические картины. В раннем творчестве заметно влияние Петрова-Водкина и увлечение древнерусским искусством. „Женщина в красном" (1925) — одно из лучших произведений художника. Некоторая стилизация, плоскостность, открытый локальный цвет, полный отказ от передачи пленэра, монументальность композиции с низким горизонтом позволяют Ионину создать обобщенный и значительный образ, подобный иконописному лику.
В дальнейшем Ионин много писал с натуры, но даже в небольших этюдах обнаруживал мастерство композиции с усвоенным от Кардовского вниманием к передаче предметности, объема и построением колорита, при всем богатстве его нюансировки, на локализованной цветовой доминанте, восходящей к „трехцветке" Петрова-Водкина.
Мир природы и мир техники, в равной мере опоэтизированные художником, образуют как отдельные тематические циклы, так и вступают в сложные взаимоотношения в ряде индустриальных пейзажей 1920—1930-х гг.
В 1930—1940-е гг. написал несколько заказных произведений на историко-революционную тему.

112. Н. А. Ионин
Женщина в красном. 1925

112. Nikolai Ionin
Woman in Red. 1925

113. А. Н. Самохвалов
Комсомолка. Работница, засучивающая рукава. 1929

113. Alexander Samokhvalov
Member of the Young Communist League. Woman Worker Rolling Up Sleeves. 1929

Самохвалов Александр Николаевич. 1894—1971

Заслуженный деятель искусств РСФСР (1967). Учился в Реальном училище живописи г. Бежецка у И. М. Костенко в 1909—1912 гг., на архитектурном отделении ВХУ при АХ у В. В. Беляева, Г. Р. Залемана в 1914—1918 гг., в ПГСХУМ—Вхутемасе у К. С. Петрова-Водкина, В. Е. Савинского, Д. Н. Кардовского, А. А. Рылова, Д. И. Киплика в 1920—1923 гг. Экспонент „Мира искусства" (1917). Член объединений „Круг художников" в 1926—1929 гг., „Октябрь" в 1930—1932 гг. Преподавал на факультете монументальной живописи в ЛВХПУ в 1948—1951 гг.
Занимался станковой, монументальной, театрально-декорационной живописью, графикой (станковой, книжной, журнальной, плакатом), эпизодически — скульптурой и прикладным искусством. Писал картины на историко-революционную (в том числе ленинскую), индустриальную, спортивную темы, батальные, жанровые полотна, а также пейзажи, портреты и нередко натюрморты. Творчество Самохвалова 1920—1930-х гг. близко стилистике художников ОСТ, особенно А. А. Дейнеки. Монументальные портреты-типы, залитые солнцем многофигурные композиции на спортивную тему, мощные „Метростроевки", массовые сцены парадов и демонстраций („С. М. Киров принимает парад физкультурников", 1935), с большой силой выражающие пафос молодости, оптимизма и строительства новой жизни, делают Самохвалова одним из наиболее ярких представителей официального искусства 1930-х гг.

Лизак Израиль Львович.
1905—1974

Учился в ПГСХУМ—Вхутемасе у А. А. Рылова, О. Э. Браза, В. Е. Савинского в 1918—1925 гг. Член „Общины художников" в 1925—1928 гг., „Круга художников" в 1926—1930 гг. Разрабатывал индустриальную тему (портреты, интерьеры), писал жанровые полотна, пейзажи (ленинградские и после посещения в 1937—1938 гг. Самарканда и Бухары среднеазиатские). Занимался также газетной графикой. В работах 1920-х гг., изображающих жертвы войны, жизнь капиталистического города, прослеживаются элементы экспрессионизма, а также влияние К. С. Петрова-Водкина. В последующих произведениях сохраняется острота пластических решений, но определяющим будет точное графическое построение формы, часто — сведение ее к силуэту, сдержанный колорит. По заказу Ленсовета Лизак написал на Балтийском заводе ряд интерьеров и серию портретов рабочих, два из которых („Сталевар Крылов" и „Портрет кузнеца С. Петрана", оба 1934 г.) были приобретены ГРМ.

114. И. Л. Лизак
Портрет кузнеца С. Петрана. Из серии „На Балтийском заводе". 1934

114. Izrail Lizak
Portrait of the Smith S. Petran. 1934

Чупятов Леонид Терентьевич.
1890—1941

Учился в Рисовальной школе ОПХ в 1909—1912 гг., в студиях Я. Ф. Ционглинского и М. Д. Бернштейна в Петрограде в 1910-е гг., в ПГСХУМ у К. С. Петрова-Водкина в 1918—1921 гг. Преподавал в Киевском художественном институте в 1926—1928 гг. Экспонент „Мира искусства“ (1917), член Общества художников индивидуалистов (1922), „Жар-цвет“ (1924), Общины художников в 1925—1929 гг. Преподавал в художественной школе Балтфлота в 1919—1920 гг., на театрально-декорационном отделении ИЖСА ВАХ в 1929—1933 гг., работал в исследовательских мастерских АХ в 1921—1926 гг. и с 1933 г. Писал натюрморты, интерьеры, жанровые и тематические картины. Работал в области станковой и театрально-декорационной живописи, книжной и станковой графики. Теоретик искусства. Испытав сильное воздействие К. С. Петрова-Водкина, развивал его идеи о построении пространства („сферическая перспектива“), передаче движения, экономном тональном решении („белое на белом“, „черное на черном“).

115. Л. Т. Чупятов
Белый натюрморт. 1936

115. Leonid Chupyatov
White Still Life. 1936

Малагис Владимир Ильич.
1902—1974

Заслуженный художник РСФСР (1971). Учился в Рисовальной школе ОПХ у В. А. Плотникова, В. И. Навозова, Н. П. Химоны в 1916 г., в ПГСХУМ–Вхутемасе у А. А. Рылова, К. С. Петрова-Водкина, А. И. Савинова, Г. М. Бобровского в 1918—1924 гг. Посещал курсы усовершенствования художников при ИЖСА ВАХ, где занимался у Е. Е. Лансере и В. Е. Савинского. Член объединений „Круг художников“ в 1926—1929 гг. и „Октябрь“ (1930). Преподавал в студии Московско-Нарвского района в Ленинграде, в ИЖСА, в студии Союза архитекторов. Писал картины на историко-революционные и индустриальные темы, жанровые полотна, портреты, пейзажи, натюрморты. В ранних работах, особенно натюрмортах, заметно влияние Петрова-Водкина. На рубеже 1920-х — 1930-х гг. склонялся к плоскостно-декоративным решениям, затем осваивал пленэрную живопись. Портреты Малагиса 1950-х гг. почти утрачивают признаки индивидуальной манеры. „Траурный натюрморт“ (1924) посвящен кончине В. И. Ленина. Локальный колорит и трактовка объема характерны для школы Петрова-Водкина. Малагис и в дальнейшем неоднократно обращался к особой разновидности натюрморта — мемориальному.

*116. **В. И. Малагис***
Траурный натюрморт. 1924

*116. **Valerian Malagis***
The Morning Still Life. 1924

Лебедев Владимир Васильевич. 1891—1967

Народный художник РСФСР (1966), член-корреспондент АХ СССР (1967).
Учился у А. И. Титова в Петербурге в 1909 г., в ВХУ при АХ в батальной мастерской у Ф. А. Рубо в 1910—1911 гг., в частной школе живописи, рисования и скульптуры М. Д. Бернштейна и Л. В. Шервуда в Петербурге в 1912—1914 гг., посещал вольнослушателей ВХУ при АХ в 1912—1916 гг. Член „Союза молодежи" (1913), Объединения новых течений в искусстве в 1921—1922 гг., общества „Четыре искусства" с 1928 г. Один из основателей петроградских „Окон РОСТА", возглавлял там агитплакатную мастерскую в 1920—1922 гг., участник выпусков „Окон ТАСС" в 1942—1945 гг. Работал художественным редактором Детиздата в Ленинграде в 1922—1934 гг., создал ленинградскую школу иллюстрированной детской книги. Преподавал в ПГСХУМ в 1918—1921 гг., профессор.
Занимался станковой графикой: серии „Прачки" (1920—1925), „Нэп" (1925—1927), наброски обнаженных, плакаты. Писал натюрморты, портреты (в основном женские), ню, полотна на спортивные темы. Разрабатывая новую живописную систему, создал множество этюдов, но картины (в его собственном понимании) так и не написал. Первоначально опирался на кубизм, отчасти супрематизм, применял стилизацию в духе лубка. Живописные полотна рубежа 1910-х — 1920-х гг. подчеркнуто предметны, натюрморты этого времени неожиданно близки неоакадемизму, аналогичны работам В. И. Шухаева („Натюрморт с палитрой", 1919). Развитие шло в сторону импрессионистического обогащения и утончения колорита, при этом сохранялась, однако, ясная конструктивная основа композиции. Искусно сочетал розовые и голубые оттенки, иными словами, строил колорит на активизации тепло-холодности, в мерцании которой могли растворяться локальные пятна цвета („Натюрморт с гитарой", 1930). В работе „Девушка с букетом" (1933) чувствуется ирония по отношению к персонажу.

*117. **В. В. Лебедев***
Натюрморт с гитарой. 1930

*117. **Vladimir Lebedev***
Still Life with a Guitar. 1930

118. ***В.В.Лебедев***
Кубизм. 1922

118. ***Vladimir Lebedev***
Cubism. 1922

119. В.В.Лебедев
Девушка с букетом. 1933

119. Vladimir Lebedev
Girl with Flowers. 1933

120. В.В.Лебедев
Катька. 1918 (1916?)

120. Vladimir Lebedev
Kat'ka. 1918 (1916?)

121. В.В.Лебедев
Женщина с гитарой. 1930

121. Vladimir Lebedev
Woman with a Guitar. 1930

Тырса Николай Андреевич.
1887—1942

Учился в ВХУ при петербургской АХ у Л. С. Бакста в 1905—1910 гг., в школе рисования и живописи Е. Н. Званцевой в 1907—1910 гг., в офортной мастерской В. В. Матэ. Член объединений „Союз молодежи", „Мир искусства" (1915), Объединения левых течений в искусстве (1922), „Четыре искусства" в 1926—1928 гг. Преподавал в ЦУТР в 1917—1922 гг., в ПГСХУМ—Вхутеине в 1918—1926 гг., директор в 1927 г., на кафедре рисунка в ЛИИКС в 1924—1941 гг., в Киевском художественном институте в 1938—1939 гг. Работал в отделе ИЗО Наркомпроса в 1918—1920 гг.

Занимался станковой живописью, книжной (преимущественно книги для детей) и станковой графикой (рисунки, литографии), декоративно-прикладным искусством, выполнял листы „Боевого карандаша" (с 1939 г.). Писал пейзажи, натюрморты, интерьеры, ню. Живопись, импрессионистическая по ощущению и приему (иногда близка манере В. В. Лебедева), интенсивная по цвету, декоративна, выполнена в светлой гамме, чему способствует тонкослойное наложение краски, свечение белого холста через нее. Вместе с тем работы Тырсы отличаются обобщенным и свободным, но точным рисунком, свидетельствующим о хорошей академической выучке, остром видении характерности натуры („Обнаженная натура (Сидящая модель)", 1937).

122. Н. А. Тырса
Обнаженная натура (Сидящая модель). 1937

122. Nikolai Tyrsa
Nude (Seated Model). 1937

Кузнецов Павел Варфоломеевич. 1878—1968

Заслуженный деятель искусств РСФСР (1928). Учился в Боголюбовском рисовальном училище в Саратове у В. В. Коновалова в 1891—1896 гг., в студии Общества любителей изящных искусств у Г. П. Сальвини-Баракки, там же в МУЖВЗ у К. А. Коровина, В. А. Серова в 1897—1903 гг. Посетил Францию, Италию, Англию в 1900-е гг. Один из организаторов выставок „Алая роза" (1904, Саратов), „Голубая роза" (1907), член объединения „Мир искусства" с 1902 г., экспонент СРХ, член общества „Четыре искусства" в 1924—1931 гг., председатель МТХ с 1905 г., участник парижского Осеннего салона (1906). Преподавал в МУЖВЗ в 1916 г., ГСХМ—Вхутеине—МИИИ в Москве в 1917—1937 гг., в других институтах Москвы в 1945—1948 гг. Занимался станковой, монументальной, театрально-декорационной живописью. Писал пейзажи, портреты, натюрморты, жанровые сцены, композиции в духе символизма. Под влиянием В. Э. Борисова-Мусатова и идей символизма изображал „видения" на грани реального мотива и грез, достигая изысканности колорита. Линейный рисунок иногда теряется в мерцающей живописной ткани. В произведениях 1910-х гг. заметны признаки кубистической архитектоники, колорит конструктивно построен на контрасте основного и дополнительного цветов, теплого и холодного. Плоскость организуется декоративными пятнами цвета приглушенного матового звучания — художник предпочитает технику темперы. Создается ирреальное пространство, хотя в нем почти всегда — действительные мотивы, реальные впечатления („Дорога в Алупку", 1926). В построении композиции заметен культ плоскости, связанный с эстетикой модерна. В 1920-е — 1930-е гг. пытался писать на индустриальную, сельскохозяйственную темы, но неудачно — уровень его живописи снижала задача конкретизировать мотив, показать его как сугубо реальный (иная трактовка „производственных" сюжетов была бы неуместной). Некоторая „приземленность" сравнительно с ранним творчеством Кузнецова заметна и в его натюрмортах 1930-х годов („Цветы").

123. П. В. Кузнецов
Дорога в Алупку. 1926

123. Pavel Kuznetsov
Road to Alupka. 1926

124. П.В.Кузнецов
Цветы. 1939

124. Pavel Kuznetsov
Flowers. 1939

125. Е.М.Бебутова
Гаспра. Водоем Цекуби. Б.г.

125. Elena Bebutova
Gaspra. Tsekubi Reservoire. Undated

Бебутова (Кузнецова)
Елена Михайловна.
1892—1970

Училась в Рисовальной школе ОПХ у Н. К. Рериха, А. А. Рылова, Я. Ф. Ционглинского в 1907—1914 гг. Член объединения „Четыре искусства" в 1924—1929 гг. Посетила Париж в 1923—1924 гг. Работала в области театрально-декорационного искусства, писала портреты, пейзажи, натюрморты, а также полотна на бытовую и индустриальную темы. В живописи 1910—1920-х гг. заметно влияние раннего кубизма (геометризация формы), но палитра при этом остается высветленной и довольно богатой, напоминая колорит П. В. Кузнецова.
По стилистике пейзажи Бебутовой близки работам А. Дерена 1910-х гг., но, в отличие от полотен французского мастера, обладают вялым ритмом, застывшей кристальностью формы. Не достигая композиционной и ритмической выразительности характерных для кубизма решений, художница использует геометризацию формы как декоративный прием и достигает утонченности колорита.

Ульянов Николай Павлович.
1875—1940

Заслуженный деятель искусств РСФСР (1932), член-корреспондент АХ СССР (1949), лауреат Государственной премии СССР (1948). Учился в школе И. И. Машкова в Москве в 1888—1889 гг., в МУЖВЗ у Н. Н. Ге, Н. В. Неврева, И. М. Прянишникова в 1889—1901 гг., там же в мастерской В. А. Серова в 1899—1902 гг. Участвовал в салонах „Золотого руна", экспонент выставки „Голубая роза" (1907), член СРХ, „Мира искусства", „Четырех искусств". Преподавал в Свободной мастерской В. А. Серова при МУЖВЗ в 1900—1903 гг., в школе Е. Н. Званцевой в 1901—1907 гг., в СЦХПУ в 1915—1918 гг., в ГСХМ–Вхутемасе в Москве в 1918—1922 гг., в МГХИ в 1942—1945 гг. Занимался станковой и театрально-декорационной живописью, станковой и книжной графикой. Писал портреты, в том числе исторические, картины на историко-революционные, жанровые и мифологические сюжеты, ню. Последователь Серова, особенно в области портрета, в 1910-е гг. Ульянов пережил увлечение кубизмом. Элементы графичности соединялись в ряде произведений с повышенной декоративностью колорита („Оркестр", 1921).

126. Н. П. Ульянов
Оркестр. 1921

126. Nikolai Ulyanov
Orchestra. 1921

Миловидов Борис Васильевич.
1902—1975

Заслуженный работник культуры РСФСР (1974).
Учился в Свободных художественных мастерских — Саратовском художественном техникуме у М. В. Кузнецова и А. И. Савинова в 1918—1926 гг. Экспонент объединения „Четыре искусства" в 1927—1928 гг. Преподавал в Высших государственных свободных художественных мастерских — Художественном техникуме, потом училище в Саратове с 1926 г.
Занимался станковой и монументальной живописью, графикой (рисунок и литография, с 1930 г. работал художественным редактором Саратовского книжного издательства), оформлением и иллюстрированием книги, плакатом в 1943—1945 гг. Член коллектива саратовских плакатистов „Агитокно". Писал в основном пейзажи, а также жанровые сцены. От декоративных по стилистике ранних работ перешел в послевоенные годы к более академически „правильному" рисунку у пленэрной живописи, хотя эти изменения у Миловидова не так заметны, как у большинства его современников. Пейзаж „Деревья" (1930-е гг.) относится ко времени общества „Четыре искусства" и свидетельствует о сильном влияним творчества П. С. Уткина. О себе художник говорил в последние годы жизни: „У Савинова я перенял серьезное отношение к строгому рисунку, у Уткина, в прошлом ученика Левитана и Коровина, — любовь к природе и глубокое уважение к традициям русской живописи".

127. Б. В. Миловидов
Деревья. 1930-е гг.

127. Boris Milovidov
Trees. 1930s

Уткин Петр Саввич.
1877—1934

Учился в Боголюбовской рисовальной школе в Саратове, в МУЖВЗ у И. И. Левитана, К. А. Коровина, В. А. Серова в 1897—1907 гг. Участник выставок „Алая роза" (Саратов, 1904), „Голубая роза" (1907), член объединений „Мир искусства", СРХ, „Жар-цвет", АХРР, член-учредитель общества „Четыре искусства" в 1924—1931 гг. Преподавал в Свободных художественных мастерских — Саратовском художественном училище в 1918—1931 гг., в студии ИЗО Пролеткульта в Саратове в 1921—1923 гг., в ИНПИИ — ИЖСА ВАХ в 1931—1934 гг. (декан живописного факультета).
Писал преимущественно пейзажи, а также натюрморты, картины на тему Красной Армии („Красноармейцы-ленинцы", 1931), индустриальные, бытовые, мифологические. Испытал влияние В. Э. Борисова-Мусатова, советами которого пользовался, был дружен с саратовцами П. В. Кузнецовым, А. И. Савиновым, А. Т. Матвеевым. В раннем творчестве находился под воздействием символизма, камерным мотивам придавал символическое звучание, писал лирико-эпические, идиллические по настроению пейзажи, поэтически одухотворенно трактуя обыденные природные мотивы („Окрестности Саратова (Пруд)", 1925). Красочная гамма — приглушенно-матовая, форма обобщена, довольно плоскостна, композиция строится на сочетаниях декоративных цветовых пятен („Осокорь", 1923). Подобно М. М. Пришвину, „проникал в сокровенную ткань природы". Повлиял на саратовцев более молодого поколения — Б. В. Миловидова, Е. В. Егорова, В. И. Кашкина.

128. П. С. Уткин
Окрестности Саратова (Пруд). 1925

128. Pyotr Utkin
Environ of Saratov (Pond). 1925

Крымов Николай Петрович.
1884—1958

Народный художник РСФСР (1956), член-корреспондент АХ СССР (1949).
Учился у своего отца П. А. Крымова (ученика С. К. Зарянко по МУЖВЗ), в МУЖВЗ на архитектурном отделении в 1904—1907 гг. и на живописном отделении у А. Е. Архипова, Н. А. Касаткина, Л. О. Пастернака и в мастерской В. А. Серова и К. А. Коровина в 1907—1911 гг. Участник выставок „Голубая роза" в 1907 г., „Венок" („Стефанос") в 1908 г., „Золотое руно" в 1909 г., член СРХ в 1910—1923 гг., ОМХ в 1923—1931 гг. Преподавал в московском Вхутемасе в 1920—1922 гг., в МХУ в 1934—1939 гг., на факультете изобразительных искусств Пречистенского практического института в 1922—1924 гг., позже в МПИ.
Писал пейзажи. Занимался также театрально-декорационной живописью. В раннем творчестве работал преимущественно по памяти, изображая представление, а не впечатление. Камерный провинциальный городской или сельский вид, ландшафт, написанный Крымовым, всегда „картинно" построен, основан на тональных (светотеневых) контрастах, цвет же тяготеет к локальному. С 1920-х гг. обнаруживается движение к пленэру, но пленэр Крымова — тоновый, а не импрессионистически цветовой. В раннем творчестве заметна ориентация на народный примитив, затем на классицистическую живопись, в основе которой — рельеф. Эта основа впоследствии теряется в связи с разработкой „системы тона", сложившейся в 1920-е гг., мотив становится более этюдным, композиция — менее „картинной". Истоки „системы тона" Крымова следует искать в идеях С. К. Зарянко, переданных художнику его отцом — П. А. Крымовым.

129. Н.П.Крымов
Утро. 1919

129. Nikolai Krymov
Morning. 1919

130. Е.В.Егоров
Уборка поля. Волга. 1926

130. Evgeny Yegorov
Harvesting. The Volga. 1926

Егоров Евгений Васильевич.
1901—1942

Учился в Саратовском художественно-промышленном техникуме у П. С. Уткина и В. М. Юстицкого в 1920—1924 гг. Член АХРР (1925) и объединения „Четыре искусства“ (1926—1929). Преподавал в Саратовском художественном техникуме в 1925—1932 гг. Жил в Москве с 1932 г.

Писал портреты, пейзажи (в том числе индустриальные), натюрморты и жанровые картины. Обращался к технике гуаши и литографии. Основные темы — приволжские пейзажи, цирк (серия „Клоуны-эксцентрики“, 1924). „Уборка поля. Волга“ (1926) — типичная работа Егорова, живописью близкого П. С. Уткину и Б. В. Миловидову: декоративная гамма, построенная на приглушенных отношениях цветовых пятен, плоскостная композиция.

Кашкин Владимир Иванович.
1904—1938

Учился в Свободных художественных мастерских — Саратовском художественном техникуме у Е. В. Егорова, А. А. Сапожникова, В. М. Юстицкого в 1922—1927 гг. Член объединения „Четыре искусства". Преподавал в Саратовском художественном техникуме в 1929—1931 гг.
Писал преимущественно волжские пейзажи. Большое влияние на Кашкина оказало общение с саратовцами П. В. Кузнецовым и П. С. Уткиным. Много внимания художник уделял колориту (в его дневниках часто встречается тщательное описание цвета увиденного в натуре пейзажа). Предпочитал повседневные мотивы. На тему „яхты на Волге" написал целый ряд пейзажей. Камерная, лиричная, созерцательная живопись. Жил в Москве с 1931 г.

131. В.И. Кашкин
Яхты на Волге. 1936

131. Vladimir Kashkin
Yachts on the Volga. 1936

132. К. Н. Истомин
Пригород. Севастополь. 1928

132. Konstantin Istomin
Suburb. Sebastopol. 1928

Истомин Константин Николаевич. 1887—1942

Учился в студии Е. Е. Шрейдера в Харькове в 1904—1905 гг., в школе Ш. Холлоши в Мюнхене в 1906—1908 гг., на отделении истории искусств Московского университета в 1909—1913 гг. Член объединения „Искусство — жизнь" („Маковец") в 1922—1923 гг., член-учредитель объединения „Четыре искусства" в 1924—1929 гг., АХР в 1931—1932 гг. Участвовал в организации высшего художественного образования в СССР. Один из руководителей Вхутемаса—Вхутеина в Москве в 1921—1930 гг. Преподавал в МПИ в 1930—1939 гг., в МИИ в 1934—1937 гг., в МХИ в 1937—1942 гг., с 1921 г. профессор. Теоретик искусства. Занимался монументальной и станковой живописью. Писал жанровые картины, пейзажи, портреты, натюрморты, ню. Большое внимание уделял пластической стороне решения, выявлял „графический костяк" живописи (светотеневая контрастность, широкое применение черной краски). Его творчество отличают цветовая насыщенность, культ „малого пространства" (рельефа), вообще характерный для Вхутемаса. Все эти признаки манеры Истомина ясно видны в „Женском портрете" (1922). Наиболее значительное произведение Истомина на бытовую тему стало хрестоматийным в истории советского искусства („Вузовки", 1933).

133. К. Н. Истомин
Женский портрет. 1922

133. Konstantin Istomin
Portrait of a Woman. 1922

Мидлер Виктор Маркович.
1888—1979

Учился в Одесском высшем художественном училище у К. К. Костанди и Г. А. Ладыженского в 1908—1913 гг., в мастерских в Москве А. В. Куприна, И. И. Машкова, Р. Р. Фалька. Член объединения „Четыре искусства" с 1924 г., секретарь правления этого общества в 1925—1929 гг. Один из организаторов МОСХ. Член правления в 1930-е гг.
Участвовал в оформлении революционных празднеств в Одессе в 1919 г., создавал графические серии, писал пейзажи, натюрморты, портреты, тематические картины. Ряд полотен 1930-х гг. посвящен теме Красного флота, что связано с пребыванием художника в Балаклаве в Крыму. Испытал влияние постимпрессионизма через своих учителей — „бубнововалетцев" и непосредственно во Франции в 1927 г., где находился по поручению ГТГ для ознакомления с постановкой музейного дела и современным искусством. Там и был написан пейзаж „Площадь Нотр-Дам" (1927).

134. В.М.Мидлер
Площадь Нотр-Дам. 1927

134. Vladimir Midler
Place Notre-Dame. 1927

Яковлев Борис Николаевич.
1890—1972

Народный художник РСФСР (1962), член-корреспондент АХ СССР (1958). Учился в МУЖВЗ у А. М. Васнецова, А. Е. Архипова, А. С. Степанова, С. В. Малютина, К. А. Коровина в 1915—1918 гг. Экспонент „Мира искусства" (1921), ТПХВ (1923), член-учредитель АХРР (1922). Преподавал на художественном факультете ВГИКа в 1956—1963 гг., профессор с 1960 г. Основоположник индустриального пейзажа в советском искусстве. Писал также „естественные" пейзажи, натюрморты, реже — портреты. Много путешествуя, создавал преимущественно этюдного типа камерные пейзажи различных уголков страны. Манера письма — широкая, пастозная, этюдно-пленэрная, но основные детали всегда тщательно прорисованы. Часто применял мастихин, формируя фактуру живописной поверхности, к которой относился со вниманием. Брат В. Н. Яковлева. Как и многие советские живописцы 1920-х гг., Яковлев охотно работал над среднеазиатскими мотивами. Они привлекали его экзотикой, своеобразием природы, архитектуры, а также позволяли наглядно отразить социалистические преобразования. Для подготовки к VШ выставке АХРР „Жизнь и быт народов СССР" в 1925 г. Яковлев совершил поездку в Самарканд, где написал ряд пейзажей и жанровых полотен. Одна из лучших работ — „Окраина Самарканда" (1925). Уравновешенность композиции, „классичность" мотива роднят ее с пейзажами В. М. Мидлера, К. Ф. Богаевского, Н. М. Щекотова.

135. Б. Н. Яковлев
Окраина Самарканда. 1925

135. Boris Yakovlev
Outskirt of Samarkand. 1925

Щипицын Александр Васильевич. 1896—1943

Учился в Нижегородском государственном художественном техникуме у А. В. Куприна и А. В. Фонвизина в 1921—1924 гг., во Вхутемасе—Вхутеине в Москве у Д. П. Штеренберга, А. Д. Древина, Р. Р. Фалька в 1925—1929 гг. Работал в мастерской В. Е. Татлина (участвовал в создании „Летатлина") в 1929—1932 гг. Член об-щества „Рост" (1929 г., художественное объе-динение студентов Вхутемаса).
Писал картины на бытовую, спортивную, индустриальную, военную темы, а также портреты. С 1925 г. жил в Москве. В 1930-е гг. создал серию работ по впечатлениям от поездки в Сибирь на золотые прииски. Нэпманов изображал сатирически. Произведения на спортивную тему („Водная станция" и другие) связаны с ежегодной в студенческие годы работой летом сторожем или спасателем на волжских пляжах и водных станциях. Никогда не писал этюдов, картины „сочинял", не делая подготовительного рисунка, в чем сказалось, по-видимому, определяющее влияние Древина (также и в эмоциональном образном строе), драматургии пространства, движении колорита, динамичности мазка, некоторой примитивизации изображаемых предметов и при этом сложного развития композиции. Начиная с 1933 г. Щипицын проводил лето в деревне Взвоз на Керженце. По летним впечатлениям выполнен ряд работ на деревенскую тему, в том числе несколько „Сенокосов". В воспроизведенном холсте („Сенокос", 1933) преобладает пейзажное решение жанрового сюжета. Напряженная „пульсация" ритма придает образу неожиданный драматизм.

136. А.В.Щипицын
Сенокос. 1933

136. Alexander Shchipitsyn
Haymaking. 1933

Н. Дормидонтов 931-34

Дормидонтов Николай Иванович.
1898—1962

Учился в Рисовальной школе ОПХ у А. А. Рылова, Н. К. Рериха, И. Я. Билибина и Г. М. Бобровского в 1914—1918 гг., в ПГСХУМ — ВХТУЗе у Д. Н. Кардовского, В. И. Шухаева, К. С. Петрова-Водкина, В. Е. Татлина в 1918—1922 гг. Член-учредитель АХРР 1922—1932, председатель ее петроградского филиала, член объединений „Шестнадцать" в 1926—1928 гг., „Цех художников" в 1930—1932 гг. Преподавал в Ленинградском художественно-промышленном техникуме в 1923—1929 гг.
Работал в области живописи, станковой и журнальной графики. Писал картины на индустриальную, спортивную и военную темы, пейзажи и реже — натюрморты. Манера Дормидонтова, типичного представителя школы Д. Н. Кардовского, развивалась от неоакадемизма, граничащего в 1920-е гг. с „новой вещественностью", в сторону овладения пленэром, но навыки академического рисунка, лежащие в основе мастерства художника, сохраняются даже в его пейзажных этюдах, выполненных в последние годы жизни. Как и другие натюрморты Дормидонтова, „Натюрморт с черепом" (1929) — именно изображение „мертвой натуры" (ни цветов, ни фруктов). Динамики, например, богатого колорита или какого-нибудь „живописного" приема здесь нет. Натюрморт составлен из атрибутов искусства, обычных для мастерской художника. Дормидонтов тщательно прорисовывает каждую вещь, внимательно „прощупывает" объем. Колорит строится большими отношениями локальных пятен. Техника живописи — многослойная, что позволяет достичь большой насыщенности цвета. Натюрморты Дормидонтова — та сторона его творчества, которая более всего смыкается с неоакадемизмом и „новой вещественностью". По отбору предметов, характеру постановки, живописной технике они обнаруживают прямую связь с аналогичными работами В. И. Шухаева и в особенности С. А. Павлова — соученика и единомышленника художника.
Тема последствий мировой войны — одна из преобладающих в немецкой живописи 1920-х гг., влияние которой на советскую было значительным, особенно после выставки немецкого искусства в СССР в 1924 г. Дормидонтов написал заснеженную окраину города с покосившимися деревянными постройками, где бродячие музыканты — мужчина-инвалид и подросток — „увеселяют" ее обитателей, почти таких же нищих, как они сами („Окраина Ленинграда. Музыканты", 1928; „Музыканты", 1931—1934). Художник не поскупился на „брейгелевские" подробности, подчеркивающие убожество бродяг. Однако в картинах не чувствуется щемящих нот. В 1930-е гг., когда они были написаны, послевоенная разруха уже отошла в прошлое, и отношение Дормидонтова к изображаемому — как к своего рода экзотике, как к „старому", уходящему быту, в котором есть и своя романтика. Третье произведение художника на эту тему имеется в ГТГ.

137. Н.И.Дормидонтов
Окраина Ленинграда. Музыканты. 1928

137. Nikolai Dormidontov
Outskirt of Leningrad. Musicians. Undated

138. Н.И.Дормидонтов
Музыканты. 1931—1934

138. Nikolai Dormidontov
Musicians, 1931—34

139. В.И.Шухаев
Хлеба. Нормандия. 1923

139. Vasily Shukhayev
Cornfiled. Normandy. Undated

Шухаев Василий Иванович.
1887—1973

Заслуженный деятель искусств Грузинской ССР (1962).
Учился в СЦХПУ у К. А. Коровина, И. И. Нивинского, Н. А. Андреева, С. В. Ноаковского и И. В. Жолтовского в 1897—1905 гг., в ВХУ при АХ у Д. Н. Кардовского в 1906—1912 гг. Пенсионер АХ в Италии в 1912—1914 гг. Член объединения „Мир искусства (1917), один из организаторов и руководителей „Цеха святого Луки" (1917, совместно с Д. Н. Кардовским и А. Е. Яковлевым). Преподавал в ПГСХУМ в 1917—1919 гг., в ЦУТР в 1916 г., в ИЖСА ВАХ в 1935—1937 гг., в Тбилисской АХ в 1947—1973 гг., профессор.
Жил в Финляндии в 1920—1921 гг., во Франции в 1921—1935 гг. Писал портреты, пейзажи, натюрморты, произведения на бытовые и мифологические темы. Занимался станковой и книжной графикой, монументальной и театрально-декорационной живописью. Один из наиболее ярких представителей школы Д. Н. Кардовского, Шухаев в своем творчестве наиболее полно воплотил неоклассическую тенденцию в русской живописи XX века. Объемная, предметная трактовка формы, восходящая к А. Ашбе, ретроспективизм как естественная ориентация на образцы, отвечающие требованиям Кардовского, „сделанность", некоторая оторванность предмета от среды и от фона, который часто условно светлый или условно темный. Застывший, мертвенный ритм, отчего работы Шухаева близки немецкой „новой вещественности".
Манере Шухаева хорошо соответствует жанр „мертвой натуры" и городского пейзажа — то есть изображение неподвижных, с ясно выраженной формой предметов. Работа, соединяющая элементы натюрморта и пейзажа „Хлеба. Нормандия" (1923), написана в первые годы пребывания во Франции, где Шухаев не испытал никаких воздействий. Его стиль остался почти неизменным на протяжении всей жизни.

140. Н.И.Дормидонтов
Натюрморт с черепом. 1929

140. Nikolai Dormidontov
Still Life with a Scull. 1929

Павлов Семен Андреевич.
1893—1942

Учился в Рисовальной школе ОПХ в 1904—1906 гг., в ПГСХУМ у В. И. Шухаева, Д. Н. Кардовского, К. С. Петрова-Водкина, В. И. Козлинского в 1917—1922 гг. Член-учредитель АХРР (1922—1932), член „Общины художников“, „Шестнадцати“, “Цеха живописцев“. Преподавал в ЛИИКС и во Вхутеине—ИЖСА ВАХ в 1929—1941 гг. Занимался графикой (станковой, книжной, журнальной), плакатом — автор одного из первых плакатов с изображением В. И. Ленина (1920). Писал городские и индустриальные пейзажи, натюрморты. Характерный представитель ленинградского крыла школы Кардовского (то есть художник с большим вниманием к собственно пластическим средствам, что, по-видимому, можно объяснить и влиянием Петрова-Водкина). Павлов продолжил линию неоакадемизма, в натюрмортах особенно близко следуя Шухаеву („Натюрморт“, 1927), в пейзажах смыкаясь в стилистике и образном строе с немецкой „новой вещественностью“ („Василеостровский пейзаж“, 1923). Друг Н. И. Дормидонтова, он был близок ему и в своем творчестве.

141. С. А. Павлов
Натюрморт. 1927

141. Semyon Pavlov
Still Life. 1927

142. С. А. Павлов
Летняя ночь за Нарвской заставой (Автопортрет). 1923

142. Semyon Pavlov
Summer Night at the Narva Outpost (Self Portrait). 1923

143. С. А. Павлов
Василеостровский пейзаж. 1923

143. Semyon Pavlov
View of Vasilyevsky Island, Petrograd. 1923

БАНИ
ЧИНЮ
ПРИМУСА
1923

Радлов Николай Эрнестович.
1889—1942

Лауреат Государственной премии СССР (1942). Учился на историко-филологическом отделении Петербургского университета (окончил в 1911 г.) и одновременно в ВХУ при АХ у Д. Н. Кардовского и Е. Е. Лансере. Член-учредитель „Цеха живописи святого Луки“ (1918), в годы Великой Отечественной войны — один из организаторов „Окон ТАСС“. Преподавал в Институте истории искусств в Ленинграде в 1919—1924 гг., профессор кафедры рисунка ПГСХУМ—ИЖСА ВАХ в 1922—1937 гг., преподавал на графическом факультете МГХИ им. В. И. Сурикова с 1938 г. Занимался преимущественно графикой (сатирическая, книжная, в том числе книги для детей, журнальная, станковая), а также живописью — станковой (портрет, пейзаж, натюрморт) и театрально-декорационной. Художественный критик и теоретик искусства, развивал идеи Д. Н. Кардовского, опираясь на теоретическое наследие А. Гильдебранда и Г. Вельфлина. Как живописец показал себя характерным представителем школы Кардовского, особенно успешно работая в жанре портрета. На полотне 1925 г. изображен Михаил Алексеевич Кузмин (1875—1936) — известный поэт, прозаик, переводчик, театральный критик и драматург, композитор. Условная композиция с аркой, локальный колорит, детальная сделанность пейзажного фона и несколько шаржированный образ стареющего литератора создают впечатление иронического парафраза ренессансного портрета.

144. Н. Э. Радлов
Портрет поэта М. А. Кузмина. 1925

144. Nikolai Radlov
Portrait of the Poet Mikhail Kuzmin. 1925

**Шендеров Александр Семенович.
1897—1967**

Учился на факультете истории искусств Донского археологического института в Ростове-на-Дону в 1917—1921 гг., в студии А. Ф. Гауша у М. В. Добужинского в Петрограде с 1921 г. Член и экспонент объединений „Мир искусства" (1924), „Община художников" в 1928—1929 гг. Занимался станковой живописью и графикой, книжной иллюстрацией и театрально-декорационным искусством. В раннем творчестве, в 1920-е гг., пережив увлечение искусством „малых голландцев", создал свои наиболее значительные произведения, близкие неоакадемизму, „новой вещественности". Подчеркнутая объективность предметов достигается тонкой светотеневой нюансировкой; цвет вводится очень деликатно, не нарушая монохромного в целом решения. Начиная с 1930-х гг. перешел к звучной цветовой гамме, не достигнув, однако, гармоничности цветовых аккордов; с 1940-х гг. больше и успешнее работает в области графики, — анималистического рисунка и книжной иллюстрации. К числу лучших работ Шендерова относится „Портрет актера ТЮЗа М. Гипси с четками" (1924). Характерный профиль Михаила Гипси, пожалуй, даже несколько шаржированный, не придает, однако, портрету черт карикатуры, свидетельствуя лишь об остроте восприятия художником видимого мира. Более того, уравновешенная, монументальная композиция выражает значительность образа человека, очень заинтересовавшего художника (известен написанный Шендеровым в том же году „Портрет актера ТЮЗа Михаила Гипси с мишкой").

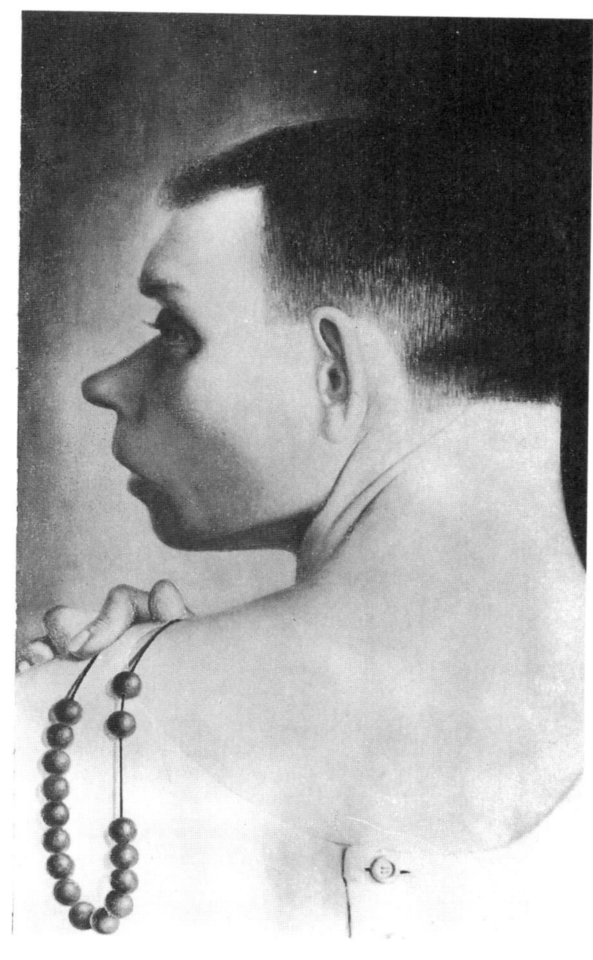

145. А. С. Шендеров
Портрет актера ТЮЗа М. Гипси с четками. 1924

145. Alexander Shenderov
Portrait of the Young Spectators' Theatre Gipsi with Beads 1924

**Рудаков Константин Иванович.
1891—1949**

Заслуженный деятель искусств РСФСР (1940). Пользовался советами П. П. Чистякова, учился в частной студии В. Е. Савинского и в Новой художественной мастерской у Б. М. Кустодиева, Е. Е. Лансере и М. В. Добужинского в Петербурге, занимался на архитектурном отделении ВХУ при АХ с 1913 г., на живописном отделении в мастерской Д. Н. Кардовского в ВХУ при АХ-ПГСХУМ с 1914 г. по 1922 г. Преподавал в ИЖСА ВАХ в 1929—1949 гг., профессор с 1937 г. Экспонент „Мира искусства" и „Цеха художников святого Луки".

Работал преимущественно над иллюстрированием книг французских писателей XIX в., глубоко проникая в их образность. Занимался также станковой графикой и живописью, предпочитая женские портреты. Писал портреты исторических лиц (А. В. Суворова, Петра I и др.). Выступал как художник театра. Живопись Рудакова ориентирована на использование элементов рокайльных портретов и жанров французской и английской школ XVIII в.

Склонен к импровизационному методу работы. Характерные черты его живописи — темный фон, изысканный колорит, подвижный мазок, нередко — стилизация костюма, — отчетливо видны в небольшом полотне „Балерина", б.г.

146. К. И. Рудаков
Балерина. Б.г.

146. Konstantin Rudakov
Ballerina. Undated

Разумовская Юлия Васильевна. 1896—1987

Училась у В. И. Корсунцева в Казани, в Боголюбовском художественном училище в Саратове, в студии В. Н. Мешкова в Москве (вместе с П. М. Шухминым, В. Н. Яковлевым и В. В. Мешковым), в ВХУ при АХ у Д. Н. Кардовского с 1913 г., затем во Вхутемасе в Москве в мастерской Кардовского до 1924 г. Пользовалась советами В. И. Сурикова.
Занималась станковой графикой (рисунок и акварель, серия „На улицах Москвы (Московские типы)", 1920—1922, и другие). Писала портреты, жанровые и индустриальные картины, пейзажи и натюрморты, иногда увлекаясь этнографической документальностью (посетила Среднюю Азию в 1925—1929 гг.). Типичный представитель школы Кардовского, Разумовская тяготела к предметному изображению, колорит которого близок локальному („Автопортрет", 1938). Отдельные работы 1920-х гг. отличаются стремлением к остроте, выразительности художественных средств („Яблокии кувшин, 1930), что, однако, не получило развития в последующем творчестве художницы.

147. Ю.В.Разумовская
Яблоки и кувшин. 1930

147. Yulia Razumovskaya
Apples. 1930

148. ***Ю.В.Разумовская***
Автопортрет. 1938

148. ***Yulia Razumovskaya***
Self-Portrait. 1938

Рянгина Серафима Васильевна. 1891—1955

Заслуженный деятель искусств РСФСР (1956). Училась в частной студии Я.Ф.Ционглинского в Петербурге в 1910—1912 гг., в ВХУ при АХ в 1912—1918 гг. и в ПГСХУМ—Вхутемасе у Д.Н.Кардовского в 1921—1923 гг. Член АХРР в 1924—1932 гг. В 1927 г. посетила Германию и Италию „для ознакомления с музеями".
В начале творческого пути создавала плакаты, в 1918—1921 гг. участвовала в оформлении революционных празднеств в Оренбурге. Писала в основном жанровые полотна, а также индустриальные интерьеры и натюрморты. Сцены в интерьере часто с искусственным („каравадджистским") освещением, реже — фигуры и пейзажи. Типичный представитель школы Кардовского. Характерны большая круглящаяся форма, крупнофигурная композиция, написанная предметно. Цвет тяготеет к локальному, гамма плотная, работа строится преимущественно на рисунке, светотеневых градациях. В ее полотнах нередки острый ракурс, фотографический перспективный эффект; вместе с тем укрупнение и „кругление" объемов выполнено совершенно по-академически. В жанровых полотнах стремится отобразить новый быт. В картине „Все выше" (1934), хрестоматийном произведении социалистического реализма, с романтическим пафосом воплотила „миф о строителе". Сравнительно редко пишет натюрморты, но поскольку манера художника предметна, обращение к этому жанру более органично, чем к пейзажу.

149. ***С.В.Рянгина***
Натюрморт. 1939

149. ***Serafima Ryangina***
Still Life. 1939

Сомов Константин Андреевич. 1869—1939

Учился в ВХУ при АХ у В. П. Верещагина, П. П. Чистякова, в мастерской И. Е. Репина с 1894 г., в Академии Ф. Коларосси в Париже в 1897—1899 гг. Член-учредитель объединения „Мир искусства" (1899), член СРХ в 1903—1910 гг. Действительный член АХ (1913). Преподавал на живописном отделении ПГСХУМ в 1918 г. С 1923 г. жил в США, в 1925 г. переехал в Париж. Испытал влияние модерна и символизма, обращался к стилизации рокайльных приемов и сюжетов, иронизируя над своими марионеточными персонажами, разыгрывающими галантно-эротические действа, и одновременно любуясь ими. В портретах, навеянных реминисценциями парадного и камерного портрета XVIII в., персонажи также выступают „в роли", что, однако, не заслоняет, а придает особое значение их меткой психологической характеристике. В творчестве Сомова, при всей „развлекательности" сюжетов, чувствуется некий трагизм, ощущение бренности и хрупкости жизни, которое усиливается в его графике введением недвусмысленных символов (смерти, например).

„Дамы в парке" вполне идиллическая сцена, однако призрачность, иллюзорность безмятежности изображенного остро ощущаются, если вспомнить, что написана картина в 1919 г.

150. К. А. Сомов
Дамы в парке. 1919

150. Konstantin Somov
Women in a Park. 1919

Серебрякова Зинаида Евгеньевна. 1884—1967

Училась в школе М. К. Тенишевой у И. Е. Репина в Петербурге в 1901 г. и в студии О. Э. Браза в Петербурге в 1903—1905 гг. Член объединения „Мир искусства" с 1911 г. В 1900—1910-е гг. посетила Францию, Италию, Швейцарию. С 1924 г. жила в Париже. Занималась живописью и графикой. Писала жанровые сцены, портреты, пейзажи, натюрморты, ню. Явственно прослеживаются признаки неоклассической тенденции, хотя сравнительно с учениками Д. Н. Кардовского обнаруживается отсутствие академической школы, некоторый дилетантизм в построении формы и колорита. Творчество Серебряковой отмечено тягой к созданию монументальных идеализированных крестьянских образов, преимущественно женских. Исследователями справедливо отмечается связь с искусством итальянского Возрождения, еще в большей степени очевидны реминисценции школы А. Г. Венецианова, нередко те же сюжеты и мотивы — крестьянские работы, баня, зеркало, интерьеры, а также их трактовка — созерцательность, любование красотой крестьянской жизни, отсутствие социальной оценки. Часто писала автопортреты, портреты членов семьи, близких знакомых (портрет С. Р. Эрнста, 1921).

Сергей Ростиславович Эрнст (1895—1980) — художественный критик и историк искусства, автор монографии о Серебряковой (Пг., 1922). Во Франции жил с 1925 г. Известен другой портрет С. Р. Эрнста (1922) работы Серебряковой, хранящийся в частном собрании.

151 З. Е. Серебрякова
Портрет С. Р. Эрнста. 1921

151 Zinaida Serebryakova
Portrait of Sergey Ernst. 1921

152. Б. А. Кустодиев
Русская Венера. 1925—1926

152. Boris Kustodiev
Russian Venus. 1925—1926

Кустодиев Борис Михайлович.
1878—1927

Учился в ВХУ при АХ у И. Е. Репина, В. Е. Савинского, Д. С. Стеллецкого в 1896—1903 гг. По окончании находится во Франции и Испании в качестве пенсионера АХ. Член-учредитель НОХ в 1904—1908 гг., член СРХ с 1907 г., „Мира искусства“ с 1911 г., „Шестнадцати“. Экспонент Общины художников (1922), АХРР в 1925—1926 гг. Академик живописи с 1909 г.
Занимался станковой и театрально-декорационной живописью, графикой. Писал жанровые полотна и портреты. Свои сюжеты Кустодиев черпал из русского провинциального быта, который предстает в его произведениях как ярмарочно-лубочный театрализованный мир, образы которого соединяют любование и иронию художника („Русская Венера“, 1925—1926). Живопись несколько условная, декоративная, вобравшая на академической основе качества народного искусства. Персонажи-типажи с „постоянными эпитетами“, как в фольклоре. В портрете Кустодиев связывал фигуру с интерьером, нередко изображал ее в действии, что, по-видимому, связано с участием в создании под руководством И. Е. Репина совместно с И. С. Куликовым картины „Торжественное заседание Государственного совета 1903 года“ (1905). В портретах Кустодиева ощутимее пленэр, меньше стилизации, но идеализация нередка („Портрет артистки Т. В. Чижовой“, 1924). В полотнах на историко-революционную тему использовал традиции лубка („Большевик“, 1919—1920).

153. Б. А. Кустодиев
Портрет артистки Т. В. Чижовой. 1924

153. Boris Kustodiev
Portrait of the Actress T. V. Chizhova. 1924

154. Е.Е.Лансере
Кавказский натюрморт. 1918

154.Evgeny Lanceray
Caucasian Still Life. 1918

Лансере Евгений Евгеньевич.
1875—1946

Заслуженный деятель искусств Грузинской ССР (1933), народный художник РСФСР (1945), лауреат Государственной премии СССР (1943). Учился в Рисовальной школе ОПХ у Э.К.Липгардта, Я.Ф.Ционглинского в 1892—1894 гг. и в Париже в частной мастерской Ф.Коларосси и в Академии Р.Жюльена у Ж.-П.Лоранса и Ж.-Ж.Бенжамена-Констана в 1896—1899 гг. Член „Мира искусства" с 1900 г., СРХ в 1908—1910 гг., академик с 1912 г., действительный член АХ с 1916 г. Преподавал в Тифлисской АХ, а также в МАРХИ и ИЖСА ВАХ в 1922—1938 гг. Много путешествовал по Европе, посетил Турцию и Японию.
Занимался станковой, книжной, журнальной, в том числе сатирической графикой, станковой, монументальной, театрально-декорационной живописью, прикладным искусством (эскизы изделий из фарфора и стекла). Писал картины на историческую тематику, портреты, пейзажи, натюрморты. По характеру дарования прежде всего график, в основе его живописи — рисунок, колорит же строится как дополнение рисунка, по принципу раскрашивания. Отойдя от монохромности работ раннего периода, вводя насыщенный цвет, который тяготеет к локальности, он не всегда умеет привести его к единству, сгармонировать. Для Лансере характерно сочетание декоративного подхода к решению плоскости с пониманием большой формы, умелым построением обобщенного объема („Кавказский натюрморт", 1918). Эти качества позволили ему успешно выступать на поприще монументальной живописи. Охотно, как к теме, обращался к историческому или национальному своеобразию, сочетал романтическое любование прошлым, экзотикой с дотошным воспроизведением аксессуаров, так же как и Э.Мейссонье, оставляя в стороне драматургию сюжета, а нередко и психологию персонажей.

Головин Александр Яковлевич. 1863—1930

Народный артист РСФСР (1928).
Учился в МУЖВЗ на архитектурном и живописном отделениях у В. Е. Маковского, В. Д. Поленова, И. М. Прянишникова в 1881—1889 гг., в Париже у Ж.-Э. Бланша и Ж. Симона в мастерской Коларосси в 1889 г. и у Р. Колена и Л.-О. Мерсона в школе Витти в 1897 г. Член „Мира искусства" с 1902 г. и СРХ в 1903—1916 гг. Экспонент ТПХВ, МТХ, МОЛХ.
Занимался главным образом театрально-декорационной живописью, развивая традиции Поленова и Абрамцевского кружка. Оформлял спектакли „Русских сезонов" С. П. Дягилева в Париже, в 1899—1917 гг. — декоратор императорских театров, с 1901 г. — главный декоратор. С 1912 г. действительный член петербургской АХ. Наряду с театром в 1920-гг. занимался журнальной и книжной графикой, декоративно-прикладным искусством. Постоянно работал в станковой живописи (портрет, преимущественно театральный — в роли, пейзаж и натюрморт), предпочитая, что довольно распространено среди художников театра, клеевые краски или смешанную технику (темперу, акварель, пастель). Реформатор театрально-декорационной живописи, превративший оформление спектакля в единое красочное зрелище, в котором звучит каждая деталь, как кусок смальты в мозаике, Головин этого принципа придерживался и в станковых работах. В портретах почти равную декоративность несут лицо персонажа и фон, одежда и аксессуары, отчего при калейдоскопичности мазка изображение человека едва не растворяется на плоскости. Это качество сближает живопись Головина с работами Ф. А. Малявина и (в известной мере) М. А. Врубеля.
Декоративностью, проявившейся в творчестве художника, начиная с оформления спектаклей мамонтовской Частной оперы, отличаются и воспроизведенные работы „Нескучный сад" (1920) и „Розы и фарфор" (1920-е гг.), подобные сценическому заднику. Они графичны и плоскостны, тщательно и почти орнаментально детализированы в рисунке. И натюрморт, и пейзаж словно вовлечены в мир театра, превращены в красочный спектакль, в котором декорации довлеют над действием. Характерно, что если в портрете Головин предпочитает изображать актера в роли, то и пейзаж, и предметы натюрморта — не обыденны или естественны, а наряжены, убраны человеком, зрелищны.

155. А. Я. Головин
Нескучный сад. 1920

155. Alexander Golovin
Neskuchny Garden. 1920

156. А. Я. Головин
Розы и фарфор. 1920-е гг.

156. Alexander Golovin
Roses and Porcelain. 1920s

Богаевский Константин Федорович.
1872—1943

Заслуженный деятель искусств РСФСР (1933). Брал частные уроки живописи у А. И. Фесслера и И. К. Айвазовского в Феодосии в 1880-е гг., учился в ВХУ при АХ у А. И. Куинджи в 1891—1897 гг. Экспонент объединений „Мир искусства", СРХ, ТЮРХ, „Жар-цвет", НОХ в 1900—1910-е гг. Преподавал в художественной студии в Феодосии в 1930-е гг.
Писал главным образом пейзажи (маслом, акварелью), изредка — натюрморты. Изображал виды Восточного Крыма, вымышленные „идеальные", „героические" и „романтические", а также „исторические" пейзажи, навеянные реминисценциями живописи кватроченто и классицизма. По впечатлениям от поездок на Днепрострой и в Баку в 1930-е гг. создал ряд индустриальных пейзажей. Многое воспринял от своего учителя Куинджи — сочиненность и „картинность" пейзажа, вопреки господствовавшей в начале века этюдности, декоративность и неоромантический дух. Посетив в 1897 г. Францию, Германию и Австрию, воспринял неоимпрессионизм и модерн в немецком варианте. Произведения 1910-х гг. нередко отмечены чертами мистицизма и символизма, интересом к тайне древних неведомых культур. В 1920-е гг. пейзажи Богаевского, освобождаясь от нарочитой, иной раз слащавой сказочности, достигают особой выразительности пластических решений, образы („Феодосия", 1926) героичны без нагнетания романтической атрибутики. В следующее десятилетие живописец много внимания уделяет проблеме пленэра, его „идеальные" пейзажи все более становятся просто изображениями Восточного Крыма, наполненными светом и воздухом. В эти годы Богаевский пытается реконструировать исторический облик Феодосии — Кафы прошедших столетий, в какой-то мере соприкасаясь с опытами А. М. Васнецова на материале Москвы. „Город" (1936) — одно из многих полотен, выражающих представление художника о средневековой Феодосии. Опоясанный генуэзской крепостью, город спускается по отрогам хребта Тепе-Оба к морю. Стремление к археологической достоверности, создание своего рода „ретроспективной ведуты" сочетаются с пленэрным колоритом и декоративно- гобеленовыми тенденциями в композиции.

157. К. Ф. Богаевский
Город. 1936

157. Konstantin Bogayevsky
Town. 1936

Рылов Аркадий Александрович. 1870—1939

Заслуженный деятель искусств РСФСР (1935). Учился в Рисовальной школе ОПХ в 1888—1891 гг., в ЦУТР, затем в ВХУ при АХ у А. И. Куинджи в 1894—1897 гг. Член „Мира искусства“ в 1901—1911 гг., член-учредитель СРХ (1903), НОХ в 1905—1909 гг., „36-ти художников“ в 1901—1902 гг., МТХ (1908) АХРР в 1925—1926 гг., председатель Общества им. А. И. Куинджи в 1925—1930 гг. В 1898 г. посетил Германию, Францию, Италию (вместе с другими учениками Куинджи). В 1902—1918 гг. преподавал в Рисовальной школе ОПХ, в ПГСХУМ—Вхутемасе—Вхуте-ине в Петрограде—Ленинграде в 1918—1929 гг., в Ленинградском художественно- педагогическом техникуме в 1923—1925 гг. Писал пейзажи, выступал как иллюстратор детской книги. В 1930-е гг. работал над ленинской темой. Изображал природу средней полосы России, унаследовал декоративизм и романтическую традицию А. И. Куинджи. Пейзажи-картины Рылова всегда отмечены композиционной продуманностью. Довольно пастозное письмо ранних работ к 1930-м гг. сменяется тонкой, лессировочной манерой, при которой не закрывается фактура холста („Лесная река“, 1929).

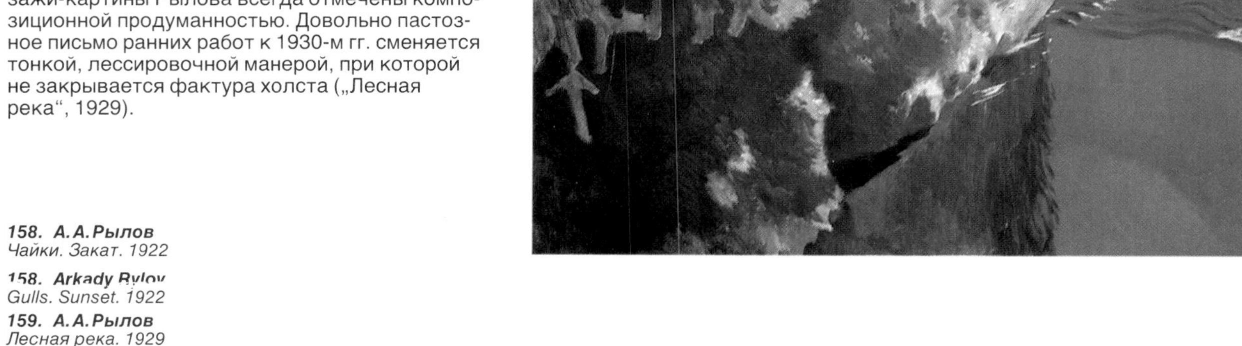

158. А. А. Рылов
Чайки. Закат. 1922

158. Arkady Rylov
Gulls. Sunset. 1922

159. А. А. Рылов
Лесная река. 1929

159. Arkady Rylov
Forest Stream. 1929

Туржанский Леонид (Леонард) Викторович.
1875—1945

Учился у Н. М. Плюскина в Екатеринбурге в 1889—1895 гг., в ЦУТР и в студии Д. Е. Дмитриева-Кавказского в Петербурге в 1895—1896 гг. и в СЦХПУ в Москве в 1896—1897 гг., в МУЖВЗ у А. М. Васнецова, А. С. Степанова, В. А. Серова, К. А. Коровина в 1898—1909 гг. Экспонент с 1904 г., член ТПХВ в 1911—1912 гг., СРХ с 1910 г., АХРР в 1924—1927 гг., „Изографа" (1918), ОХР с 1928 г. Преподавал в Екатеринбургской художественной школе в 1919—1920 гг. Путешествовал по Русскому Северу, работал в деревне Малый Исток Екатеринбургской губернии и в Москве.
Создавал в основном натурные пейзажи-этюды, изредка обращался к портрету и натюрморту. В 1906—1910 гг. писал под руководством К. А. Коровина декорации в театре М. В. Леонтовского. Автор декоративных панно. Пленэрный колорит пейзажей Туржанского приближается к плотному, насыщенному декоративно-плоскостному раскладу цвета, живопись отличается пастозностью (часто шел в ход мастихин), живым, энергичным мазком, артистизмом исполнения (все работы Туржанского написаны в один, реже — два сеанса). В творчестве Туржанского соединились приемы живописи поздних В. А. Серова и К. А. Коровина, получившие в дальнейшем развитие в области пейзажа („Весна", 1917).

160. Л. Б. Туржанский
Весна. 1917

160. Leonid Turzhansky
Spring. 1917

Петровичев Петр Иванович. 1874—1947

Учился в МУЖВЗ у И. И. Левитана и В. А. Серова в 1892—1903 гг. Экспонент ТПХВ с 1901 г., член с 1906 г., СРХ с 1911 г. Писал пейзажи и реже — натюрморты. Обращался к изображению средней полосы и Севера, часто с древнерусской архитектурой. Равномерно грубоватая фактура, крупный мазок придают его работам довольно однообразное, несколько суровое, но в целом — декоративное звучание, и это качество роднит работы Петровичева с живописью „Мира искусства", несмотря на „приземленную" реалистичность его образов („Ясная осень", 1917).

161. П. И. Петровичев
Ясная осень. 1917

161. Pyotr Petrovichev
Clear Automn. 1917

Гуркин (Чорос) Григорий Иванович. 1872—1937

Учился в иконописных мастерских на своей родине в с. Улалы (ныне Горно-Алтайск) и в Бийске, в Петербурге у И. И. Шишкина в 1897 г. и вольнослушателем в ВХУ при АХ у А. А. Киселева в 1899—1905 гг. Экспонент академических выставок, ТПХВ и другие. Писал преимущественно виды горного Алтая, а в советское время также индустриальные пейзажи и интерьеры. Сделал большое количество (свыше 3000) рисунков, запечатлевших природу и жителей Алтая в 1930-е гг. Работал в Монголии в 1921—1925 гг. Продолжая традицию передвижнического пейзажа, расширил его „географию“. Лучшие работы Гуркина, выполненные в 1906—1920-е гг., изображают горный Алтай в манере, близкой А. А. Киселеву.
Картина „Курайские белки. Белуха“ (1926) отражает любование автором богатством, мощью природы своей родины. Белуха — крупнейшая вершина Курайского хребта. Белками назывались покрытые вечными снегами горы Алтая. Пленэрность достигается художником за счет сильного разбела краски, что в этой и некоторых других работах приводит к утрате колористических достоинств.

162. Г. И. Гуркин (Чорос)
Курайские белки. Белуха. 1926

162. Grigory Gurkin (Choros)
White Mountains in Kurai. Belukha Mountain. 1926

**Юон Константин Федорович.
1875—1958**

Народный художник СССР (1950), действительный член АХ СССР (1947), лауреат государственной премии СССР (1943).
Учился в МУЖВЗ у К. А. Савицкого, А. Е. Архипова, Н. А. Касаткина в 1892—1898 гг., по окончании училища посещал мастерскую В. А. Серова в 1898—1900 гг. Экспонент ТПХВ (1900), член-учредитель СРХ в 1903—1923 гг., член „Мира искусства" в 1901—1906 гг., АХРР с 1925 г. Преподавал в частной художественной школе-студии совместно с И. О. Дудиным в 1900—1917 гг., руководил в ИЖСА ВАХ персональной мастерской, преподавал в МГХИ им. В. И. Сурикова в 1952—1955 гг., профессор. Директор НИИ ТИИИ АХ СССР в 1948—1950 гг., первый секретарь правления СХ СССР в 1957—1958 гг. Писал пейзажи, символико-аллегорические композиции, портреты, интерьеры, произведения на историко-революционные, бытовые темы, индустриальные пейзажи и изображения парадов, революционных праздеств в Москве. Занимался также станковой графикой и театрально-декорационным искусством. Поначалу в его манере преобладает типичный для СРХ пренэризм, темы русской провинции, зимы, часто древнерусская архитектура. В первые послереволюционные годы создал серию из девяти символико-аллегорических композиций, изображающих революционный переворот в России как всемирноисторическое, даже космического масштаба событие. Множество безликих фигурок — массы (тот же прием позже будет использован им в изображениях парадов и в историко-революционных полотнах) — гибнет в обломках разрушающейся планеты, либо торжествует, наблюдая рождение нового мира. Довольно декоративная манера (организация плоскости пятнами цвета), тенденция избегать подчеркивания объемности предметов сохранится и в последующих произведениях Юона. В 1930-е гг. вернулся к приемам живописи и сюжетам периода СРХ, но уже без былой свежести, непосредственности образов.
В 1920-е гг. Юон каждое лето проводил на даче в деревне Лигачево под Москвой. В этот период „дачные" мотивы занимают немалое место в творчестве художника. Воспроизведенная работа „Июль. Купание" (1925) характерна для данного ряда. Своим реализмом она противостоит прежним „космическим" сюжетам. С последними сближает, пожалуй, лишь точка зрения „с птичьего полета", изображение большого числа маленьких фигурок. Типична для Юона передача солнечного света, декоративно-пленэрная манера.

163. К.Ф.Юон
Июль. Купание. 1925

163. Konstantin Yuon
July. Bathing. 1925

Герасимов Александр Михайлович. 1881—1963

Заслуженный деятель искусств РСФСР (1936), народный художник СССР (1943), действительный член (1947), президент АХ СССР (1947—1957), лауреат Государственных премий СССР (1941, 1943, 1946, 1949).
Учился в МУЖВЗ у К. А. Коровина, А. Е. Архипова, Н. А. Касаткина в 1903—1910 гг., учился там же на архитектурном отделении в 1910—1915 гг. Экспонент ТПХВ, член АХРР (1925—1932), организатор „Коммуны художников" (1918) в г. Козлове. В 1949—1960 гг. руководил творческой мастерской живописи АХ СССР в Ленинграде.
Писал портреты, пейзажи, натюрморты, жанровые полотна. С конца 1920-х гг. создавал репрезентативные портреты руководителей партии и правительства. Работал также в области монументальной, театрально-декорационной живописи и книжной иллюстрации. По манере письма — преемник Архипова. Для него характерны пастозная кладка разбеленной краски, обобщенный, почти всегда немного сбитый рисунок, укрупненность деталей. Этой манере наиболее соответствовали скромные пейзажные мотивы. Одна из самых удачных работ — „После дождя (Мокрая терраса)" (1935). Этюд „Яблоневый сад" (1930-е гг.) написан во время одного из посещений Герасимовым г. Козлова (с 1932 г. Мичуринск), использован в работе над панно для ВСХВ „И. В. Мичурин в саду" (1939). Изображая аллею в весеннем саду, художник с особым вниманием написал цветы — мотив, к которому он обращался на протяжении всей жизни. Тема пробуждающейся и цветущей природы часто привлекала живописцев 1920—1930-х гг., желающих выразить оптимистическое настроение, создать жизнеутверждающий образ.

164. А. М. Герасимов
Розы. 1940

164. Alexander Gerasimov
Roses. 1940

165. А.М.Герасимов
Яблоневый сад. 1930-е гг.

165. Alexander Gerasimov
Appletree Garden. 1930s

Бакшеев Василий Николаевич.
1862—1958

Заслуженный деятель искусств РСФСР (1937), народный художник РСФСР (1947), народный художник СССР (1956), действительный член АХ СССР (1947), лауреат Государственной премии СССР (1943).
Учился в МУЖВЗ сначала на архитектурном отделении, затем на живописном у Е. С. Сорокина, В. Е. Маковского, А. К. Саврасова, В. Д. Поленова в 1878—1888 гг. Роль последнего особенно велика в формировании Бакшеева как художника. Экспонент с 1891 г. и с 1896 г. член ТПХВ, входил в АХРР в 1922—1927 гг., член-учредитель ОХР в 1927—1931 гг., академик живописи (1913). Преподавал в МУЖВЗ в 1894—1918 гг., в Институте повышения квалификации художников в 1933—1940 гг., МХУ в 1940—1958 гг., в МХИ в 1940—1953 гг., профессор с 1940 г., в МХПУ им. М. И. Калинина в 1945—1951 гг. Писал пейзажи, портреты,произведения бытового жанра, натюрморты, в советское время также полотна на историко-революционную, индустриальную тему, обращался к образу В. И. Ленина. Поначалу творчество Бакшеева разворачивалось в русле позднего передвижничества, для которого характерен отход от тем большого гражданского звучания („Девушка, кормящая голубей", 1887; „Житейская проза. Семейный разлад", 1892—1893). Хорошо усвоенный от Поленова пленэризм придает произведениям Бакшеева поэтическое звучание, особенно заметное в пейзажах („Порубь", 1887; „Голубая весна", 1930). Не меняя стилистики произведений, художник и в преклонные годы сохранил верность своему почерку предрубежной поры. Натюрморт „Посуда и апельсины" (1936) написан с натуры в духе учебных постановок мастерской Поленова в МУЖВЗ. Изредка обращаясь к этому жанру, Бакшеев тщательно лепил форму цветом, передавал при этом материал и фактуру предметов, особенности освещения и, что более характерно для пейзажной живописи, особое внимание уделял передаче воздушной среды и рефлексов.

166. В.Н.Бакшеев
Посуда и апельсины. Натюрморт. 1936

166. Vasily Baksheyev
Still Life. Dishes and Oranges. 1936

Грабарь Игорь Эммануилович.
1871—1960

Заслуженный деятель искусств РСФСР (1928), народный художник РСФСР (1943), народный художник СССР (1956), действительный член АХ СССР (1947), действительный член АН СССР (1948), лауреат Государственной премии СССР (1941).
Учился в ВХУ при АХ у И. Е. Репина в 1894—1896 гг., в школе А. Ашбе в Мюнхене в 1896—1898 гг., в Архитектурном политехникуме в Мюнхене в 1902 г. Действительный член АХ (1913). Член объединения „Мир искусства" с 1901 г., СРХ с 1903 г., ОМХ, Объединения художников им. И. Е. Репина. Преподавал в школе А. Ашбе в Мюнхене в 1898—1901 гг., МХИ в 1937—1943 гг., директор; ИЖСА ВАХ в 1943—1946 гг., директор. В 1913—1925 гг. возглавлял Третьяковскую галерею. Инициатор создания Центральных реставрационных мастерских, в 1918—1930 гг. директор, с 1944 г. научный руководитель. Много путешествовал по Европе в 1896—1920-е гг., посетил также США в 1924 г. и Египет в 1914 г.
Историк искусства, художественный критик, реставратор, музейный деятель, живописец, архитектор, книжный и журнальный график.

Писал портреты, пейзажи, натюрморты, историко-революционные картины. В 1890-е гг. следовал манере письма И. Е. Репина. Пленэр, лежащий в основе живописи Грабаря, принимал разные обличья. В начале 1900 -х гг. писал пейзажи в духе СРХ, близкой манере К. Ф. Юона, но с еще более педалированным цветом („Февральская лазурь", 1904), приближаясь к неоимпрессионизму в его немецком варианте. Участвовал на выставках Сецессиона. Работы этого периода несколько механистичны, выполнены раздельными, почти одинаковой конфигурации мазками. Ощущение световоздушной среды достигается за счет разбела краски и некоторой размытости контуров, а также равномерной кладки (однофактурной) предмета и фона. В портретах и историко-революционных полотнах 1930-х гг. эволюционировал „назад" — к этюдизму СРХ и репинской манере.
В „Натюрморте с грушами" (1922) заметен след неоимпрессионизма, особенно в композиции (взгляд на стол сверху, как бы случайный ракурс делает плоскость картины почти параллельной, если не тождественной поверхности стола, что усиливает декоративность), но уже очевиден переход к более традиционным приемам — нет былой „пуантели".

167. И. Э. Грабарь
Натюрморт с грушами. 1922

167. Igor Grabar
Still Life with Pears. 1922

Архипов Абрам Ефимович. 1862—1930

Народный художник РСФСР (1927).
Учился в МУЖВЗ у В. Г. Перова, А. К. Саврасова и В. Д. Поленова в 1877—1883 гг. и в 1886—1887 гг., в АХ в 1884—1886 гг. Академик живописи (1898), действительный член АХ (1916), член ТПХВ с 1891 г., СРХ с 1904 г., АХРР с 1924 г. Преподавал в МУЖВЗ в 1894—1918 гг., В ГСХМ в 1918—1920 гг., во Вхутемасе в Москве в 1922—1924 гг.
В раннем творчестве создавал преимущественно жанровые полотна и пейзажи (особенно после посещения Русского Севера), мастерски владел пленэром. В советский период, продолжая тему 1910-х гг., писал крестьянок, варьируя один и тот же тип, а благодаря усиливающейся с годами широте письма, цветовой насыщенности, — приближаясь к декоративности, монументализированному пленэру. Архипов создал целую серию образов крестьянских женщин, близких друг другу по композиции и стилистике. Это, как правило, полуфигурные изображения сидящих девок и баб в ярких национальных костюмах, со смеющимися, сияющими лицами, обращенными к зрителю („Женщина в красном", 1919). Широкое письмо, как и сюжет, роднят эти полотна с произведениями Ф. А. Малявина, однако вполне реальные жизнеутверждающие образы далеки от некоторого налета мистики в произведениях последнего.

168. А. Е. Архипов
Женщина в красном. 1919

168. Abram Arkgipov
Woman in Red. 1919

Малютин Сергей Васильевич. 1859—1937

Заслуженный деятель искусств РСФСР (1932). Учился в МУЖВЗ у И. М. Прянишникова, В. Е. Маковского, Е. С. Сорокина в 1883—1886 гг. Член МТХ с 1893 г., „Мира искусства" с 1902 г., СРХ (1903—1922), экспонент с 1891 г. и член с 1915 г. ТПХВ, один из учредителей АХРР (1922—1926), член ОХР (1927—1930). Преподавал рисование в московском Елизаветинском институте в 1891—1892 гг., в МУЖВЗ в 1903—1917 гг., в ГСХМ—Вхутемасе в Москве в 1918—1923 гг.

Занимался, наряду со станковой живописью, прикладным искусством, театрально-декорационной живописью, книжной иллюстрацией, архитектурой, придерживаясь национально-романтической линии в искусстве модерна. В 1890-е гг. был художником Русской частной оперы С. И. Мамонтова, в 1900—1903 гг. работал в в мастерской М. К. Тенишевой в Талашкине Смоленской губ. Начав с позднепередвижнической пленэрной живописи, развивался в сторону этюдного динамизма СРХ, и далее к более монументальным формам. В портретах 1910—1920-х гг. изображал модель крупно, сосредотачивая внимание на лице, передавая интеллектуальную, духовную углубленность персонажа, его значительность („Портрет старого кооператора (Г. Н. Золотов)" (1921). Начиная с 1910-х гг. написал около трехсот портретов выдающихся современников — ученых, писателей, художников, политических деятелей.

169. С. В. Малютин
Портрет старого кооператора (Г. Н. Золотова). 1921

169. Sergey Malyutin
Portrait of an Old Cooperative Worker (G. N. Zolotov). 1921

Нестеров Михаил Васильевич.
1862—1942

Заслуженный деятель искусств РСФСР (1942). Учился в МУЖВЗ у В. Г. Перова, А. К. Саврасова, И. М. Прянишникова в 1877—1881 и в 1884—1886 гг., в АХ у П. П. Чистякова в 1881—1884 гг. Экспонент с 1889 г., член ТПХВ с 1896 г. Писал портреты, исторические и бытовые картины, пейзажи. Занимался монументальной живописью (росписи церквей) и станковой графикой (рисунки на темы русской истории). Начав с бытовых и исторических композиций в духе ТПХВ, пришел к своей теме, обратившись к изображениям старцев и выработав индивидуальную манеру письма. Особенно проникновенным выглядит в них пейзажный фон, с которым фигуры объединены живописной средой, что достигается мастерским, вдумчивым пленэрным письмом. Свой этический идеал Нестеров находил в православных подвижниках, оставлявших суетный мир ради мира природы, в котором человеческие отношения приобретают одухотворенный, возвышенно-поэтический характер.

Манера художника эволюционировала от передвижнического натурализма к пленэру, затем к монументализации пленэра, декоративности решений, мозаичности кладки мазков чистого цвета, что близко модерну (особенно в монументальных росписях) и символической наполненности композиций. В 1920—1930-е гг. писал в основном портреты („Портрет С. И. Тютчевой“, 1927—1928), подчеркивая духовную возвышенность персонажей, а также лирические пейзажи. Сильно повлиял на мировоззрение и стиль П. Д. Корина.
О портрете С. И. Тютчевой, внучки поэта, Нестеров писал: „Софья Ивановна — теперь в одиночестве на фоне мурановской деревни. Осень на душе старой дамы. Осень и в природе“.

170. М. В. Нестеров
Портрет С. И. Тютчевой. 1927—1928 гг.

170. Mikhail Nesterov
Portrait of S. I. Tyutcheva. 1927—28

171. М.В.Нестеров
Портрет сына в испанском костюме. 1933

171. Mikhail Nesterov
Portrait of the Artist's Son in a Spanish Costume. 1933

**Корин Павел Дмитриевич.
1892—1967**

Народный художник СССР (1962), действительный член АХ СССР (1958), лауреат Государственной премии (1952), Ленинской премии (1963). Учился в МУЖВЗ у К.А.Коровина и С.В.Малютина в 1912—1916 гг. Испытал влияние М.В.Нестерова, с которым был в дружбе. Преподавал в ГСХМ в Москве в 1918—1919 гг., МГХИ им. В.И.Сурикова в 1950 г. Руководил реставрационной мастерской ГМИИ в 1932—1959 гг., был художественным руководителем ГЦХРМ им. академика И.Э.Грабаря с 1960 по 1964 г.
Писал исторические картины, портреты и пейзажи. Создал ряд монументальных произведений в мозаике. Основное дело Корина — работа над картиной, названной М.Горьким „Русь уходящая". Множество созданных к ней этюдов и эскизов — наиболее значительное в его творчестве. Их отличает могучая лепка формы цветом в соединении с возвышенностью и монументальностью классического искусства итальянского Возрождения, несомненно повлиявшего на формирование коринской манеры. По идее художника, в картине „Русь уходящая" современность осмыслялась в категориях всемирно-исторического процесса. Портреты Корина парадно-репрезентативного типа выражают не столько индивидуальность изображенных лиц, сколько волевое напряжение, собранность, духовный подъем (портрет А.Н.Толстого, 1940). Пейзажи Корина эпичны, часто панорамного типа. Художник предпочитает растянутый горизонтальный формат, создает монументализированные образы природы („Моя Родина", 1928—1947).

172. П.Д.Корин
Портрет А.Н.Толстого. 1940

172. Pavel Korin
Portrait of Alexei Tolstoy. 1940

173. Е.М.Чепцов
Подруги. 1918

173. Efim Cheptsov
Girl Friends. 1918

Чепцов Ефим Михайлович.
1874—1950

Заслуженный деятель искусств РСФСР (1946). Учился в иконописных мастерских, затем, в 1901 г. — в школе Тенишевой, ВХУ при АХ у В. Е. Маковского, В. Е. Савинского, П. Е. Мясоедова, Я. Ф. Ционглинского в 1905—1911 гг. Пенсионер АХ в Германии, Австро-Венгрии, Франции и Италии в 1911—1913 гг. Экспонент ТПХВ (1916, 1917), член Общества им. А. И. Куинджи в 1925—1930 гг. и АХРР в 1922—1932 гг. Преподавал в студии АХРР—АХР в 1926—1929 гг., ИЖСА ВАХ в 1933—1941 гг., профессор с 1938 г., на художественно-графическом факультете МГПИ им. В. П. Потемкина в 1940-е гг. Начинал как иконописец, эпизодически занимался книжной и журнальной графикой. В основном работал в области бытовой живописи. Испытал сильное влияние В. Е. Маковского.

Жанровые произведения Чепцова нередко с подробностями запечатлевают самую обыденную, бессобытийную ситуацию („Подруги", 1918). Эпигон позднего передвижничества, не изменивший своей манере в 1920-е гг., создал, однако, в послереволюционные годы благодаря вниманию к ситуациям и типам „новой" жизни такие произведения, как „Заседание сельячейки" (1924), „Переподготовка учителей" (1926), ставшие художественными документами эпохи. Основной темой творчества Чепцова, начиная с 1920-х гг., стала жизнь советской деревни. Несмотря на продолжительное академическое обучение, в творчестве художника и в сравнительно поздние годы наблюдались рецидивы иконописной манеры дурного толка („Ленин и Горький на Капри", 1930).

Терпсихоров Николай Борисович.
1890—1920

Учился в художественной школе К. Ф. Юона и И. О. Дудина в Москве, в школе живописи и рисунка В. Н. Мешкова в 1907—1910 гг., в МУЖВЗ у Н. А. Касаткина, А. М. Васнецова, К. А. Коровина в 1911—1917 гг. Член АХРР в 1922—1932 гг. Писал жанровые картины в традиции позднего передвижничества („Окно в мир", 1928), из которых наиболее известна „Первый лозунг" (1924), изображающая мастерскую П. Д. Корина.

Богородский Федор Семенович.
1895—1959

Заслуженный деятель искусств РСФСР (1946), член-корреспондент АХ СССР (1947), лауреат Государственной премии СССР (1945). Учился в студии М. В. Леблана в Москве в 1914 г., во Вхутемасе в Москве у А. Е. Архипова в 1922—1924 гг. Член объединения „Бытие" в 1921—1924 гг., АХРР (1924). Работал в Германии и Италии в 1928—1930 гг. Преподавал во ВГИКе на организованном им художественном факультете в 1933—1939 гг., профессор с 1939 г. Писал портреты, историко-революционные, батальные и жанровые полотна, изредка — пейзажи и тематические натюрморты. В ранних работах второй половины 1910-х гг. тяготел к декоративным, плоскостным решениям. Сразу после окончания Вхутемаса создал две живописные серии: „Беспризорные" (1925—1926) и „Московское дно" (1926—1927), приобретшие характер художественных документов. Менее удачны произведения, выполненные по впечатлениям зарубежной поездки; в них эклектически соединяются разнородные стилистические влияния. В дальнейшем работал преимущественно над историко-революционными полотнами, героями которых были матросы — участники гражданской войны.
Показанные на VIII выставке АХРР „Беспризорные" вызвали критику за следование „негативным влияниям" немецкого искусства. Однако связь с экспрессионизмом можно усмотреть лишь в выборе темы (городское дно) и некоторой шаржированности образов. В „Беспризорном огольце" (1925), Богородский ближе к манере своего учителя А. Е. Архипова (широкое письмо, насыщенный колорит со вспышками красного цвета). Художник подчеркнул болезненность ребенка, оборванность его одежды, что позволило критикам обвинить Богородского в натурализме.

174. Ф. С. Богородский
Беспризорный оголец. 1925

174. Fyodor Bogorodsky
Waif. 1925

175. Н. Б. Терпсихоров
Окно в мир. 1928

175. Nikolai Terpsikhorov
Window into the World. 1928

Нисский Георгий Григорьевич.
1903—1987

Народный художник РСФСР (1965), действительный член АХ СССР (1958), лауреат Государственной премии СССР (1951).
Учился в Гомельской художественной студии Губполитпросвета у А. Я. Быковского с 1919 г., во Вхутемасе—Вхутеине в Москве у А. Д. Древина, Р. Р. Фалька в 1922—1930 гг. Член РАПХ (1931). В годы Великой Отечественной войны участвовал в работе „Окон ТАСС".
Писал станковые пейзажи и монументальные панно. Испытал влияние художников ОСТ, стилистике которых был близок, особенно в ранних работах. В середине 1930-х гг. осваивал принципы построения классического „идеального" пейзажа. Работы Нисского не этюдны, а всегда (в этом прямая связь с ОСТ и вообще с духом Вхутемаса времени ректорства В. А. Фаворского) построены, сочинены. Поэтому органичен переход от остовского монтажа к „классическому" построению. Членение на пространственные планы, декоративно организуемые пятнами цвета на плоскости, — постоянное свойство манеры Нисского. Изображая почти исключительно пейзажи с транспортными коммуникациями, выработал своеобразную разновидность индустриального пейзажа, овеянного романтикой „дальних странствий" наряду с пафосом строительства и развития техники, технического освоения просторов страны. Писал железные дороги с поездами и без них, шоссе, рокады, корабли в море, летящие самолеты. Живопись декоративна, цвет покрывающий обширные плоскости, почти локален.
Небольшая картина „Севастополь. Встреча" (1935) относится ко времени освоения принципов классицистического пейзажа на крымском натурном материале. Ясное чередование пространственных планов, обобщенно-условный цвет, связанный с ним „дейнековский" способ имитации солнечного света, создающий радостное настроение, отличают в целом советское искусство 1930-х гг. За эту картину художник был награжден бронзовой медалью Международной выставки 1937 г. в Париже.

176. Г. Г. Нисский
Севастополь. Встреча. 1935

176. Georgy Nissky.
Sebastopol. Meeting. 1935

Гурьев Иван Петрович.
1875—1943

Учился в ВХУ при АХ вольнослушателем у П. П. Чистякова и В. Е. Савинского в 1906—1912 гг. Член Казанского филиала АХРР, экспонент академических выставок и Санкт-Петербургского общества художников с 1905 г., Объединения ульяновских художников. Жил в Петрограде до 1917 г. Преподавал в Симбирске в изостудии „Красная звезда“ в 1920-е гг., затем в Казанском художественном училище в 1930-е гг. Писал портреты, пейзажи и жанровые полотна. Работал также в книжной графике. Манера письма — позднепередвижническая, сродни В. Е. Маковскому и Н. А. Касаткину, но так сказать, в провинциальном варианте, что придает ей черты наивности, граничащей с примитивом. Подобное проявляется и в выборе сюжетов. На местном материале создал множество портретов, объединив их в серию „Волжские типы“ (1929), которая обнаруживает интерес художника не к индивидуальной или психологической характеристике, а к внешним признакам социальной и национальной принадлежности.
В соответствии с программой АХРР старался отразить в своем искусстве приметы новой жизни, ее достижения. Тема авиации была широко распространена в советской живописи 1920—1930-х гг., она ассоциировалась с успехами индустриализации. Эта тема, по мнению большинства художников, требовала „современного“ воплощения, нетрадиционной стилистики (например, в творчестве А. А. Лабаса, А. А. Дейнеки, В. В. Купцова и др.).
Гурьев, напротив, остался верен усвоенным в Академии художеств приемам и трактовал эту тему как жанровую. Герои его картины „Встреча гидроплана в Ульяновске в 1927 году“ (1927) — жители провинциального города, собравшиеся поглядеть на диво — гидроплан — чудо техники. Небольшое полотно Гурьева — любопытный художественный документ, обладающий несомненной привлекательностью; несколько наивная стилистика вполне соответствует непосредственности поведения изображенных людей.

177. И. П. Гурьев
Встреча гидроплана в Ульяновске в 1927 году. 1927

177. Ivan Guryev
Hydroplane Arriving at Ulyanovsk in 1927. 1927

Савицкий Георгий Константинович.
1887—1949

Заслуженный деятель искусств РСФСР (1932), действительный член АХ СССР (1949), лауреат Государственной премии СССР (1945).
Учился в Пензенском художественном училище им. Н. Д. Селиверстова у своего отца К. А. Савицкого в 1902—1908 гг. и в ВХУ при АХ у Ф. А. Рубо, В. Е. Маковского, Я. Ф. Ционглинского, В. Е. Савинского, Г. Р. Залемана, И. И. Творожникова в 1908—1915 гг. (окончил по батальной мастерской). Совершил пенсионерскую поездку в Западную Европу в 1915 г. Экспонент (1917) и член ТПХВ (1922), АХР в 1928—1929 гг., экспонент Общества им. А. И. Куинджи. В годы Великой Отечественной войны работал в „Окнах ТАСС". Преподавал в МГХИ им. В. И. Сурикова в 1947—1949 гг., профессор с 1948 г. Занимался станковой живописью, книжной графикой, участвовал в создании панорам и диорам. Писал историко-революционные, батальные, жанровые картины, индустриальные пейзажи, портреты. В раннем творчестве также полотна на античные сюжеты. Работал в академической традиции батальной мастерской 1910-х гг.

178. Г. К. Савицкий
Порт. 1924

178. Georgy Savitsky
Port. 1924

Бычков Вячеслав Павлович. 1877—1954

Учился в МУЖВЗ у А. Е. Архипова, К. А. Касаткина, В. А. Серова с 1896 г., там же у К. А. Коровина в 1903—1908 гг. Член СРХ (1910—1923) и секретарь и организатор выставок АХРР (1926—1930). Преподавал рисование в средней школе в 1902—1945 гг. и МХУ в 1945—1954 гг. Выполнял главным образом пейзажи, а также жанровые полотна. Часто обращался к волжским мотивам, писал народные праздники, ярмарки и пристани. В советское время наряду с прежними темами работал над изображением демонстраций, индустриальных и городских пейзажей. Его живопись типична для члена СРХ, в основе ее — ярко выраженный пленэрный этюд. С 1920-х гг., следуя программе АХРР, стремился придать своим полотнам документальное значение.
В пейзаже „Строительство в Москве в 1933—1934 годах" (1934) при сохранении внимания к колориту и навыков пленэрной живописи Бычков создает художественный документ, отражающий формирование новой Москвы.

179. В.П.Бычков
Строительство в Москве в 1933—1934 годах. 1934

179. Vyacheslav Bychkov
Construction in Moskow in 1933—34. 1934

Котов Петр Иванович.
1889—1953

Заслуженный деятель искусств РСФСР (1946), действительный член АХ СССР (1949), лауреат Государственной премии СССР (1948). Учился в Казанской художественной школе у Н. И. Фешина в 1903—1909 гг., в ВХУ при АХ у Ф. А. Рубо, Н. С. Самокиша и Я. Ф. Ционглинского в 1909—1916 гг. Член АХРР в 1923—1928 гг. и ССХ в 1929—1932 гг. Преподавал в Высших государственных свободных художественных мастерских в Астрахани в 1919—1922 гг., в Киевском художественном институте в 1937—1941 гг., ВГИКе в 1944—1948 гг., МГХИ им. В. И. Сурикова в 1949—1950 гг., профессор с 1940 г. Писал картины на историко-революционные, индустриальные и бытовые темы, портреты (в основном выдающихся советских деятелей), пейзажи. В 1920-е гг. — преимущественно индустриальные пейзажи (наиболее известен этюд „Кузенцкстрой. Домна № 1", 1931). В дальнейшем наметилось тяготение к портрету-жанру, преобладающему в творчестве художника в 1940-е гг. Расцвет творчества Котова приходится на вторую половину 1930-х гг., когда в тематической картине он мастерски соединяет изображение человека и пейзажа. Наиболее значительное произведение художника — „Красное Сормово" (1937). Бытовой сюжет героизирован — ведь обычная стройка была символом строительства нового мира. Образы девушек-работниц, жизнерадостных, полных энергии, оптимизма — это „идеальное" представление о современном (для 1930-х гг.) строителе коммунизма. Особенность живописи Котова — воздушная среда передается им благодаря пронизывающему колорит лиловатому цвету, что делает живописную ткань несколько условной.

180. П.И.Котов
Красное Сормово. 1937

180. Pyotr Kotov
Krasnoye Sormovo. 1937

Ефанов Василий Прокофьевич.
1900—1973

Народный художник РСФСР (1951), народный художник СССР (1965), действительный член АХ СССР (1947), лауреат Государственной премии СССР (1941, 1946, 1948, 1950, 1952).
Учился в Самарском художественно-промышленном техникуме в 1917—1918 гг., в студии К. П. Чемко у Д. Н. Кардовского в Москве на Тверской в 1921—1926 гг. Преподавал в МГХИ им. В. И. Сурикова в 1948—1957 гг., в Московском педагогическом институте им. В. И. Ленина в 1959—1978 гг.
Будучи по преимуществу портретистом, писал также историко-революционные картины, пейсажи. Участвовал в создании панорамы „Штурм Перекопа" (1934—1938), автор панно „Знатные люди Страны Советов" для павильона СССР на Всемирной выставке в Нью-Йорке (1939). Работал в станковой графике (портрет, пейзаж), журнальной (1924—1930) и плакате. Изображал в основном руководителей партии и правительства. Создавал многофигурные композиции на сюжет встречи какого-либо высокопоставленного лица с „массами", торжественного заседания, выступления „вождя". Письмо широкое, с эффектно положенной краской, по приемам восходит к салонной живописи конца XIX века. Композиции отличаются репрезентативностью, повышенной декоративностью, некоторой театрализацией действия, преувеличенной патетикой жестов и мимики. Как вспомогательный материал широко использовал фотографии.
Картина „Встреча слушателей Военно-воздушной академии им. Н. Е. Жуковского с артистами театра им. К. С. Станиславского" (1938) характерна для творчества Ефанова. Курсанты и артисты, участники многолюдного торжественного застолья, восторженно внимают словам маститого театрального деятеля, произносящего тост. „Большое внимание в своей работе я уделял живым положениям фигур — поворотам головы, легким наклонам, положениям рук, кто как аплодирует, — словом, тем мелочам, которые делают жизненно-убедительным образ. Главная моя задача заключалась в создании живой композиции и передаче радостной мажорной гаммы", — характеризовал свой метод художник в „Автобиографии".

181. В. П. Ефанов
Встреча слушателей Военно-воздушной академии им. Н. Е. Жуковского с артистами театра им. К. С. Станиславского.
1938

181. Vasily Yefanov
Students of the Nikolai Zhukovsky Air-Force Academy Meeting the Actors of the Konstantin Stanislavsky Theatre.
1938

Бродский Исаак Израилевич. 1884—1939

Заслуженный деятель искусств РСФСР (1932). Учился в Одесском художественном училище у К. К. Костанди, Л. Д. Иорини, Г. А. Ладыженского в 1896—1902 гг. и в ВХУ при АХ у И. Е. Репина, П. Е. Мясоедова, Я. Ф. Ционглинского в 1902—1908 гг. Член СРХ с 1910 г., АХРР в 1924—1928 гг., Общества им. А. И. Куинджи, с 1930 г. — его председатель. Экспонент ТПХВ, „Мира искусства", ТЮРХ. Преподавал в ИЖСА ВАХ в 1932—1939 гг., профессор с 1932 г., директор с 1934 г.
Писал пейзажи (в том числе индустриальные), портреты, историко-революционные и жанровые полотна. Работал также в области станковой и журнальной графики. Основоположник живописной Ленинианы. В картинах 1900—1910-х гг. — тяготение к монументальности и декоративности композиций, „большой форме" сочетается с „точечной" манерой письма, передающей вибрацию цвета в пленэре и мельчайшие детали формы. В советский период отошел от былого увлечения декоративностью, больше внимания уделяя документальности изображения, нередко используя фотографии как подсобный материал, что заметно отразилось на качестве живописи. Композиции отличаются широким пространственным охватом, иногда чрезмерной многофигурностью, вялостью ритма, одинаково тщательной сделанностью деталей как переднего, так и дальнего планов.
Начиная с 1920-х гг. тема революционных праздников, демонстраций — одна из наиболее распространенных в советской живописи. Работая над подобными сюжетами, Бродский, как и другие художники, ставил задачу показать не отдельные персонажи, а массу, охваченную общим настроением, движущуюся единым мощным потоком. В эскизе „Демонстрация" (1930) пассивность композиции, ее „зеркальный" по отношению к натуре характер, тщательная передача подробностей, а также то, что изображен вид на Невский проспект из окна ателье известного петроградского фотографа К. Буллы, позволяет предположить, что художник и в данном случае воспользовался фотографией.

182. И. И. Бродский
Демонстрация. 1930

182. Isaac Brodsky
Manifestation. 1930

СПИСОК СОКРАЩЕНИЙ

АХ — Академия художеств (Императорская Академия художеств в Санкт-Петербурге до 1918 г., Академия художеств СССР с 1947 г.)
АХР — Ассоциация художников революции (1928—1932)
АХРР — Ассоциация художников революционной России (1922—1928)
ВАХ — Всероссийская Академия художеств, Ленинград (1932—1947)
ВГИК — Всесоюзный государственный институт кинематографии, Москва
ВСХВ — Всесоюзная сельскохозяйственная выставка, Москва (1939—1941)
ВХТУЗ — Высшее художественно-техническое учебное заведение, Ленинград (1921—1923)
ВХУ — Высшее художественное училище, Петербург—Петроград
Вхутеин — Высший художественно-технический институт, Москва (1926—1930); Ленинград (1925—1930)
Вхутемас — Высшие художественно-технические мастерские, Москва (1920—1926); Петроград—Ленинград (1923—1925)
ГАБТ — Государственный академический Большой театр СССР, Москва
ГИТИС — Государственный институт театрального искусства имени А. В. Луначарского, Москва
ГИНХУК — Государственный институт художественной культуры, Ленинград (1923—1926)
ГРМ — Государственный Русский музей, Ленинград
ГСХМ — Государственные свободные художественные мастерские, Москва (1918—1920)
ГТГ — Государственная Третьяковская галерея, Москва
ИЗО Наркомпроса — Отдел изобразительного искусства народного комиссариата просвещения (1918—1921)
ИЖСА — Институт живописи, скульптуры и архитектуры, Ленинград (1932—1944)
ИНПИИ — Институт пролетарского изобразительного искусства, Ленинград (1930—1932)
ИНХУК — Институт художественной культуры, Москва (1920—1923)
КГ — Картинная галерея
ЛЕФ — Левый фронт (1923—1930)
ЛИИКС — Ленинградский институт инженеров коммунального строительства (1931—1941)
ЛИСИ — Ленинградский инженерно-строительный институт (с 1941 г.)
МАИ — Мастера аналитического искусства, Ленинград (1925—1932)
МАРХИ — Московский архитектурный институт (с 1930 г.)
МВХПУ — Московское высшее художественно-промышленное училище (бывшее Строгановское, с 1945 г.)
МГХИ — Московский государственный художественный институт (1940—1947)
МИИИ — Московский институт изобразительных искусств (1935—1939)
МИПИДИ — Московский институт прикладного и декоративного искусства (1945—1952)
МОЛХ — Московское общество любителей художеств
МОСХ — Московская организация Союза художников
МПИ — Московский полиграфический институт (с 1930 г.)
МТХ — Московское товарищество художников
МУЖВЗ — Московское Училище живописи, ваяния и зодчества (до 1918 г.)
МХК — Музей художественной культуры, Петроград (1921—1923)
МХУ — Московское областное художественно-педагогическое училище памяти 1905 года
НИИ ТИИИ — Научно-исследовательский институт теории и истории изобразительного искусства
НОЖ — Новое общество живописцев, Москва (1921—1924)
НОХ — Новое общество художников, Петербург—Петроград (1903—1917)
ОБМОХУ — Объединение молодых художников, Москва (с 1919 г.)
ОМХ — Общество московских художников (1927—1932)
ОПХ — Общество поощрения художеств, Петербург—Петроград—Ленинград (до 1929 г.)
ОСТ — Общество станковистов, Москва (1925—1931)
ОХР — Общество художников-реалистов (1927—1930)
ПГСХУМ — Петроградские государственные свободные художественно-учебные мастерские (1918—1921)
РАПХ — Российская ассоциация пролетарских художников (1931—1932)
РАХН — Российская Академия художественных наук (Москва, 1920-е гг.)
СРХ — Союз русских художников (1903—1923)
ССХ — Союз советских художников, Москва, Ленинград (1930—1932)
СХ — Союз художников
СЦХПУ — Строгановское центральное художественно-промышленное училище, Москва (до 1917 г.)
СХШ — Средняя художественная школа
ТПХВ — Товарищество передвижных художественных выставок (1870—1923)
ТЮРХ — Товарищество южно-русских художников
УНОВИС — Утвердители нового искусства, Витебск, Ленинград (1919—1926)
ХМ — Художественный музей
ЦУТР — Центральное училище технического рисования барона А. Л. Штиглица, Петербург—Петроград (до 1918 г.)

Б. — бумага
К. — картон
М. — масло
Х. — холст
Б. г. — без года

Список иллюстраций

м. 89×53,5. ГРМ
85. А. А. Дейнека. Пейзаж. 1929. Х., м. 65×60,2. Курская КГ им. А. А. Дейнеки
86. А. А. Дейнека. Сухие листья. 1933. Х., м. 66×61,5. Курская КГ им. А. А. Дейнеки
87. А. А. Дейнека. Бег. 1932—1933. Х., м. 229×259. ГРМ
88. С. А. Лучишкин. Лыжники. 1926. Х., м. 106×95. ГРМ
89. Ю. И. Пименов. Портрет Вали Терешкевич. 1937. Х., м. 90×70. Костромской ХМ
90. Ю. И. Пименов. Инвалиды войны. 1926. Х., м. 265,6×177,7. ГРМ
91. А. Д. Гончаров. Интерьер с фигурой за столом. 1934. Х., м. 120×144. ГРМ
92. П. В. Вильямс. Портрет К. С. Станиславского. 1933. Х., м. 130×175,5. ГРМ
93. А. Г. Тышлер. Монах и девушка. 1938. Х., м. 65×70. ГРМ
94. А. Г. Тышлер. Юные красноармейцы читают газету. 1936. Х., м. 56×65. ГРМ
95. И. В. Ивановский. Прачки. Конец 1920-х гг. Х., м. 79,5×66,5. ГРМ
96. А. Н. Козлов. Москва. Парк культуры и отдыха. 1935. Х., м. 90×99,5. ГРМ
97. М. К. Соколов. Пейзаж с красной церковью. Б.г. К., м. 38,9×49,2. Саратовский ХМ им. А. Н. Радищева
98. А. Е. Карев. Андреевский рынок (Городской пейзаж). 1930-е гг. Х., м. 52×70. ГРМ
99. А. А. Карев. Первомайская демонстрация. 1926. Х., м. 94×128. Саратовский ХМ им. А. Н. Радищева
100. А. И. Русаков. Монтер. 1928 (?). Х., м. 164×68. ГРМ
101. В. В. Пакулин. Матросы (В кабачке). 1929 (?). Х., м. 89×58. ГРМ
102. В. А. Гринберг. Фабрика-кухня на Васильевском острове. 1935. Х., м. Музей истории Ленинграда
103. А. С. Ведерников. Тучков мост. 1935. Х., м. 70×90. ГРМ
104. Н. Ф. Лапшин. Переход через Неву. 1935. Х., м. 54,5×67,5. ГРМ
105. Б. Н. Ермолаев. Улица в Володарском районе. 1935. Х. на к., м. 35,5×40,5. ГРМ
106. В. В. Суков. Лодки у Летнего сада. 1930. Х., м. 107×133. ГРМ
107. Р. Р. Френц. Крюков канал. 1920-е гг. Х. на к., м. 37×34,5. ГРМ
108. К. С. Петров-Водкин. Портрет Н. А. (Женский портрет). Б.г. Х., м. 47,5×37. Курская КГ им. А. А. Дейнеки
109. К. С. Петров-Водкин. Семья командира. 1936. Эскиз. Х., м. 75,5×61. Тульский ХМ
110. К. С. Петров-Водкин. Землетрясение в Крыму. 1927—1928. Х., м. 95,5×10. ГРМ
111. Г. Н. Бибиков. Стратостат „Осоавиахим". 1935. Х., м. 238×156. ГРМ
112. Н. А. Ионин. Женщина в красном. 1925. Х., м. 141×54. ГРМ
113. А. Н. Самохвалов. Комсомолка. Работница, засучивающая рукава. 1929. Х., м. 82,5×57,5. Нижегородский ХМ
114. И. Л. Лизак. Портрет кузнеца С. Петрана. Из серии „На Балтийском заводе". 1934. Х., м. 98×68,5. ГРМ
115. Л. Т. Чупятов. Белый натюрморт. 1936. Х., м. 59,5×75,3. ГРМ
116. В. И. Малагис. Траурный натюрморт. 1924. Х., м. 74×74. ГРМ
117. В. В. Лебедев. Натюрморт с гитарой. 1930. Х., м. 51×68,4. Тульский ХМ
118. В. В. Лебедев. Кубизм. 1922. Х., м. 108×62. ГРМ
119. В. В. Лебедев. Девушка с букетом. 1933. Б., акв., гуашь. 64,4×45. Тульский ХМ
120. В. В. Лебедев. Катька. 1918 (1916?). Х., м. 126×66. ГРМ
121. В. В. Лебедев. Женщина с гитарой. 1930. Х., м. 80×65. ГРМ
122. Н. А. Тырса. Обнаженная натура (Сидящая модель). 1937. Х., м. 62×51. ГРМ
123. П. В. Кузнецов. Дорога в Алупку. 1926. Х., м. 70,5×84. Саратовский ХМ им. А. Н. Радищева
124. П. В. Кузнецов. Цветы. 1939. Х., м. 101×78. Саратовский ХМ им. А. Н. Радищева
125. Е. М. Бебутова. Гаспра. Водоем Цекуби. Б.г. Х., м. 72×71. Костромской ХМ
126. Н. П. Ульянов. Оркестр. 1921. Х., м. 48×101. Тульский ХМ
127. Б. В. Миловидов. Деревья. 1930-е г. Х., м. 53,5×63. Саратовский ХМ им. А. Н. Радищева
128. П. С. Уткин. Окрестности Саратова (Пруд). 1925. Х., м. 57,6×53,4. Саратовский ХМ им. А. Н. Радищева
129. Н. П. Крымов. Утро. 1919. Х., м. 57×70. Нижегородский ХМ
130. Е. В. Егоров. Уборка поля. Волга. 1926. Х., м. 52,5×67,7. Саратовский ХМ им. А. Н. Радищева
131. В. И. Кашкин. Яхты на Волге. 1936. Х., м. 54×73. Саратовский ХМ им. А. Н. Радищева
132. К. Н. Истомин. Пригород. Севастополь. 1928. 70,5×53. Курская КГ им. А. А. Дейнеки
133. К. Н. Истомин. Женский портрет. 1922. Х., м. 73,7×64,5. Саратовский ХМ им. А. Н. Радищева
134. В. М. Мидлер. Площадь Нотр-Дам. 1927. К., м. 53,5×69. ГРМ
135. Б. Н. Яковлев. Окраина Самарканда. 1925. Х., м. 94×102,5. ГРМ
136. А. В. Щипицын. Сенокос. 1933. Х., м. 92×112. ГРМ
137. Н. И. Дормидонтов. Окраина Ленинграда. Музыканты. 1928. Х., м. 60×80. ГРМ
138. Н. И. Дормидонтов. Музыканты. 1931—1934. Х., м. 60×76. ГРМ
139. В. И. Шухаев. Хлеба. Нормандия. 1923. Х., темпера. 92×73. ГРМ
140. Н. И. Дормидонтов. Натюрморт с черепом. 1929. Х., м. 84,5×66. ГРМ
141. С. А. Павлов. Натюрморт. 1927. Х., м. 86×66. ГРМ
142. С. А. Павлов. Летняя ночь за Нарвской заставой (Автопортрет). 1923. Х., м. 102×105. ГРМ
143. С. А. Павлов. Василеостровский пейзаж. 1923. Х., м. 91×78. ГРМ
144. Н. Э. Радлов. Портрет поэта М. А. Кузмина. 1925. Х., м. 76×58. ГРМ
145. А. С. Шендеров. Портрет актера ТЮЗа М. Гипси с четками. 1924. Х., м. 84×51. ГРМ
146. К. И. Рудаков. Балерина. Х., м. 54,5×46. ГРМ
147. Ю. В. Разумовская. Яблоки и кувшин. 1930. Х., м. 51×72,5. Курская КГ им. А. А. Дейнеки
148. Ю. В. Разумовская. Автопортрет. 1938. Х., м. 47,8×53,5. Курская КГ им. А. А. Дейнеки
149. С. В. Рянгина. Натюрморт. 1939. Х., м. 80×62. Калининская КГ
150. К. А. Сомов. Дамы в парке. 1919. Х., м. 58,2×71,5. Нижегородский ХМ
151. З. Е. Серебрякова. Портрет С. Р. Эрнста. 1921. Х., м. 81,2×72. Нижегородский ХМ
152. Б. А. Кустодиев. Русская Венера. 1925—1926. Х., м. 200×175. Нижегородский ХМ
153. Б. А. Кустодиев. Портрет артистки Т. В. Чижовой. 1924. Х., м. Ивановский ХМ
154. Е. Е. Лансере. Кавказский натюрморт. 1918. Х., м. 65×86. Музей изобразительных искусств ТАССР, Казань
155. А. Я. Головин. Нескучный сад. 1920. Х., темпера. 106×106. Саратовский ХМ им. А. Н. Радищева
156. А. Я. Головин. Розы и фарфор. 1920-е гг. К., гуашь. 95×79,5. Саратовский ХМ им. А. Н. Радищева
157. К. Ф. Богаевский. Город. 1936. Х., м. 124,5×78. Курская КГ им. А. А. Дейнеки
158. А. А. Рылов. Чайки. Закат. 1922. Х., м.
159. А. А. Рылов. Лесная река. 1929. Х., м. 86×121,9. ГРМ
160. Л. Б. Туржанский. Весна. 1917. Нижегородский ХМ
161. П. И. Петровичев. Ясная осень. 1917. Х., м. Нижегородский ХМ
162. Г. И. Гуркин (Чорос). Курайские белки. Белуха. 1926. Х., м. Алтайский краевой музей изобразительных и прикладных искусств, Барнаул
163. К. Ф. Юон. Июль. Купание. 1925. Х., м. 63×31. Музей изобразительных искусств ТАССР, Казань
164. А. М. Герасимов. Розы. 1940. Х., м. 86,5×100,5. Курская КГ им. А. А. Дейнеки
165. А. М. Герасимов. Яблоневый сад. 1930-е гг. Х., м. 115,5×126. Музей изобразительных искусств ТАССР, Казань
166. В. Н. Бакшеев. Посуда и апельсины.

Натюрморт. 1936. Х., м. 53×65. Нижегородский ХМ
167. И. Э. Грабарь. Натюрморт с грушами. 1922. Х., м. 59×52. Нижегородский ХМ
168. А. Е. Архипов. Женщина в красном. 1919. Х., м. 115,5×85,5. Нижегородский ХМ
169. С. В. Малютин. Портрет старого кооператора (Г. Н. Золотова). 1921. Х., м. 107×72. Саратовский ХМ им. А. Н. Радищева
170. М. В. Нестеров. Портрет С. И. Тютчевой. 1927—1928. Х., м. 101×127. Нижегородский ХМ
171. М. В. Нестеров. Портрет сына в испанском костюме. 1933. Х. на к., м. 46×34. Тульский ХМ
172. П. Д. Корин. Портрет А. Н. Толстого. 1940. Х., м. 103,5×97. ГРМ
173. Е. М. Чепцов. Подруги. 1918. Х., м. 87×106,5. Курская КГ им. А. А. Дейнеки
174. Ф. С. Богородский. Беспризорный оголец. 1925. Х., м. 83×64,5. Горьковский ХМ
175. Н. Б. Терпсихоров. Окно в мир. 1928. Х., м. 98×124,5. Нижегородский ХМ
176. Г. Г. Нисский. Севастополь. Встреча. 1935. Х., м. 55,6×79. Нижегородский ХМ
177. И. П. Гурьев. Встреча гидроплана в Ульяновске в 1927 году. 1927. Х., м. 39,5×70. Ульяновский ХМ
178. Г. К. Савицкий. Порт. 1924. Эскиз одноименной картины 1928 г. Х., м. 80×150. Нижегородский ХМ
179. В. П. Бычков. Строительство в Москве в 1933—1934 годах. 1934. Х., м. 82,5×126. Музей истории и реконструкции Москвы
180. П. И. Котов. Красное Сормово. 1937. Х., м. 203×301. Саратовский ХМ им. А. Н. Радищева
181. В. П. Ефанов. Встреча слушателей Военно-воздушной академии им. Н. Е. Жуковского с артистами театра им. К. С. Станиславского. 1938. Х., м. 297,5×375,5. ГРМ
182. И. И. Бродский. Демонстрация. 1930. Эскиз. Х., м. 89×61. ГРМ

Ж67 **Живопись** 20—30-х годов. Сост. А. М. Муратов. Автор вступ. ст. В. С. Манин. — СПб.: Художник РСФСР, 1991. — 200 с., ил.
ISBN 5-7370-0127-х

В альбоме „Живопись 1920—1930-х годов" опубликованы доселе малоизвестные и потому представляющие особый интерес произведения, собранные в крупнейших областных музеях России, а также полотна, хранящиеся в запасниках Государственного Русского музея. Своими работами представлены такие крупные художники, как В. Кандинский, П. Филонов, К. Петров-Водкин, М. Нестеров, живописцы „второго ряда" С. Адливанкин, В. Мидлер, Н. Терпсихоров и многие другие. Во вступительной статье дается оригинальная концепция советского искусства периода между двумя мировыми войнами. Иллюстрации сопровождаются комментариями, содержащими биографические сведения и краткие характеристики творчества ста пятидесяти художников. Издание адресовано профессионалам, а также всем желающим расширить свои познания в сфере искусства XX века.

Ж $\frac{4903020000-031}{М173(03)-91}$ 31-91 85.143(2)7

ЖИВОПИСЬ 20—30-х ГОДОВ

Автор вступительной статьи
Виталий Серафимович Манин

Составитель альбома
Александр Михайлович Муратов

Редактор В. М. Механикова
Оформление и макет Н. Н. Кутового
Перевод на английский язык Ю. А. Клейнера
Художественно-технический редактор
Л. Н. Черножукова
Корректоры Е. Е. Ротманская, Л. Н. Любимова, Т. И. Виноградова

ИБ 1221
Подписано в печать 1. 10. 91. Формат 64×100 1/8. Бумага мелованная. Гарнитура гельветика. Печать офсетная. Печ. л. 25. Усл.-печ. л. 29,75. Уч.-изд. л. 28,973. Усл. кр.-отт. 143,841. Тираж 30000. Изд. №762588. (70). Издательство „Художник РСФСР" 195027, Санкт-Петербург, Большеохтинский пр. 6, корпус 2.
Типография Фортшритт Эрфурт — ФРГ.